VIAJE POR LA HISTORIA DE MÉXICO

LUIS GONZÁLEZ Y GONZÁLEZ

Créditos de la presente edición
Coordinación editorial: Andrea Citlalpiltzin
Textos adicionales (•): Javier Lara Bayón
Investigación iconográfica: José Manuel Betancourt Linares, Imago Tempo, S.C.
Asesoría iconográfica: Jaime Cuadriello
Fotografías: Armando Betancourt Lara
Corrección: José Romero
Diseño: VLA.Laboratorio Visual / Susana Vargas, Ismael Villafranco
Cuidado de la edición: Secretaría de Educación Pública y Comisión Nacional de Libros de Texto Gratuitos

Viaje por la historia de México

Chilaque #9, Col. San Diego Churubusco
Del. Coyoacán
04120 México, D.F.

Quinta edición, México 2009
Primera reimpresión, México 2010

ISBN: 978-607-19-0004-3

Argentina #28, Centro Histórico
Del. Cuauhtémoc
06029 México, D.F.

Rafael Checa #2, Col. Huerta del Carmen
Del. Álvaro Obregón
01000 México, D.F.

ISBN: 978-607-496-005-1

Impreso en México/*Printed in Mexico*

Se agradece a Editorial Clío, Libros y Videos, S.A. de C.V. por la cesión de los derechos de la presente edición, así como el patrocinio para la publicación de la presente obra a la Secretaría de Educación Pública.

Viaje por la historia de México

A través de los siglos, México ha sido hogar de grandes historiadores. Los ha habido indígenas, españoles, criollos y mestizos; laicos y religiosos; conservadores, liberales, revolucionarios; investigadores académicos o escritores amantes de la Historia que cultivan de manera individual su vocación. La riqueza de nuestro pasado inspira en cada generación las preguntas esenciales: ¿Cuál fue la trama y el drama de nuestra historia? ¿Quiénes fueron sus personajes decisivos? ¿En qué períodos y temas cabe dividirla para comprenderla mejor? ¿Cuáles fueron sus hechos y procesos fundamentales? ¿Cuál es el sentido de nuestra historia?

En el noble linaje de la historia mexicana hubo un autor que se destacó por cubrir casi todas las épocas. Se llamó Luis González y González. Nació en 1925 en San José de Gracia, pequeño pero típico pueblo enclavado en el corazón de ese crisol de México que es Michoacán. Su obra es reconocida por colegas, discípulos y lectores, en México y el extranjero. Don Luis era un hombre generoso, afable y sencillo, un profesor sabio y sutil, un investigador incansable y un sabroso estilista del idioma. Durante medio siglo de trabajo concibió una idea original del pasado de México. Para él, la nuestra no era sólo una historia de violencia y estallido, de revuelta y revolución, sino una historia de lo que él llamó "la construcción de México".

Según don Luis, nuestra patria es la suma de muchas "patrias chicas", de muchas "matrias", como él gustaba de llamarlas, que juntas hacen un hogar construido por millones de personas que han vivido en pueblos como el suyo y en ciudades grandes o pequeñas, creando y recreando los valores materiales y espirituales (éticos, religiosos, artísticos, intelectuales) que nos distinguen. Además de esa obra anónima, silenciosa y colectiva, don Luis creía también que en la construcción de México había sido muy importante el papel de personas representativas en los campos de la ciencia, la cultura, las artes, las letras, la religión, la política y la empresa.

Fiel a esa visión, en los años postreros de su vida (murió en 2003) don Luis escribió y compiló una obra de historia ilustrada dirigida al lector general de México. Estaba dividida en treinta capítulos, cada uno acompañado de una imagen y un texto alusivos al tema del que trataba. Para la etapa anterior a la Conquista, desde los orígenes de Mesoamérica hasta el momento en que llegaron los españoles, el texto y la imagen se acompañaban con pequeños recuadros con ilustraciones de ciudades, monumentos, edificios, murales y vestigios diversos que son emblema del mosaico cultural prehispánico. A partir de la Conquista, la narración se individualizaba sin incurrir en las distorsiones de la historia oficial que él mismo llamó "la historia de bronce". Al evocar cada etapa incluyó siete perfiles de algunos personajes destacados. En su primera edición se llamó *Álbum de historia de México.*

Este año del Bicentenario de la Independencia y el Centenario de la Revolución, el Gobierno Federal ha decidido rescatar esa obra de don Luis González y González titulándola *Viaje por la historia de México.*

El pequeño libro es, en efecto, un paseo por la historia, desde los tiempos más remotos hasta 1994. La época actual, desde aquel año hasta el día de hoy, no pertenece aún a nuestra historia, sino al presente que estamos construyendo. Ojalá las familias mexicanas disfruten este paseo por el pasado y encuentren hospitalaria su visión generosa, plural, abierta y constructiva.

Lic. Felipe Calderón Hinojosa
Presidente Constitucional de
los Estados Unidos Mexicanos

Alegoría del Escudo Nacional con el emblema de las artes, Jesús Corral, 1844.

Presentación

Para conocer la historia de México no hay mejor modo que las imágenes. Casi todos recordamos la chamusquina de pies de Cuauhtémoc, las actividades pastoriles de Juárez niño o la ruptura de cadenas de ese Sansón de la Independencia que fue Hidalgo. Pero, más allá de estas escenas míticas, es raro que alguien se acuerde de un par de líneas de nuestros textos escolares. El aprendizaje de la historia es en principio una tarea visual, y por ello es de gran importancia la selección veraz y equilibrada de las imágenes que se le presentan al estudiante. En este sentido, un álbum de gran calidad gráfica y abundancia de ilustraciones cuidadosamente elegidas puede ser una gran ayuda para quien se adentre en el conocimiento de nuestro pasado.

A pesar de las modernas teorías y leyes generales del desarrollo histórico puestas en boga por los científicos sociales, es innegable que la historia la hacen los individuos, y es innegable también que estos individuos no son inmunes a las pasiones del común de los mortales. Este álbum no trata de recrear las glorias de los héroes de nuestra historia de bronce, más bien es un recorrido por nuestro pasado a través de aquellos personajes que fueron representativos de una época o tuvieron especial relevancia en algún momento de nuestra historia sin importar sus cualidades morales. Ciertamente son más numerosos los ejemplos a seguir en nuestra selección de personajes —científicos, estadistas, sacerdotes o intelectuales—, pero no faltan espías, bandoleros y caciques que también forman parte de la historia de México.

Habrá quien se pregunte por la ausencia de algún prohombre en este álbum, o critique la inclusión de personas que no sean de su agrado. La elección podría parecer arbitraria, y lo es, pero hay que recordar que una de las características de la historia es que cada persona la ve desde una perspectiva diferente, y no es posible imponer una visión única del pasado. Lo que menos pretende esta obra es ser un texto oficial o una guía de nuestro nacionalismo. Aquí se han evitado en lo posible los juicios de valor y las expresiones sonoras, se ha cuidado la veracidad de los datos y el equilibrio de distintos puntos de vista. Nuestro propósito es presentar información útil a los lectores para que cada uno de ellos elabore su propia visión de la historia patria.

Aunque esta obra se hizo pensando en la gente joven, no desmerece la lectura de los adultos. Un álbum siempre despierta nuestras ansias recolectoras, nos proporciona el placer de buscar e investigar las piezas faltantes y la satisfacción de su hallazgo.

Luis González y González

Mural que se encuentra en la Sala Introducción a la Antropología, José Chávez Morado, 1964, CIMNA.

La época de los cazadores

Hace 14 mil años una nueva migración procedente de Siberia penetró en el continente americano. Mejor equipados para la cacería, estos grupos fabricaban grandes puntas de lanza capaces de perforar la dura piel de los mamuts y mastodontes. Testimonios de la presencia de estos cazadores son las grandes puntas de proyectil, bautizadas con los nombres de Folsom, Clovis, Plainview y Lerma, que se han encontrado en numerosos lugares de la República Mexicana. Su modo de vida era nómada, y aunque se basaba en la captura de animales, también recogían frutos, hierbas, insectos y semillas que molían en morteros y metates de piedra. Los rastros de campamentos a orillas de ríos, manantiales y lagunas sugiere que completaban su dieta con peces y pequeños animales acuáticos. La época de los cazadores terminó cuando los grandes mamíferos se extinguieron, en parte por los cambios climáticos y en parte por la acción del hombre.

Los orígenes de la agricultura en México

La domesticación de las plantas en el Nuevo Mundo no fue un hallazgo; la agricultura fue el resultado de la adaptación entre el hombre y algunas especies de plantas a lo largo de milenios. Al desaparecer los grandes mamíferos del pleistoceno, los antiguos cazadores comenzaron a recolectar una mayor cantidad de hierbas, frutos y semillas, según las estaciones del año. Escogieron las plantas que daban frutos más jugosos, espigas más grandes y más alimento, y comenzaron a cuidarlas. Después de miles de años de selección, las plantas ya no se reproducían sin ayuda del hombre, quien tampoco podía sobrevivir sin ellas. La espiga del teosinte se convirtió en la mazorca del maíz, la pulpa de la calabaza se hizo más abundante, el amaranto y el frijol también cambiaron. Estas cuatro especies de plantas llegaron a ser la base alimenticia de las culturas indígenas de México.

Las primeras aldeas

Una vez que el hombre comenzó a depender de las plantas cultivadas, dejó la vida nómada y se estableció cerca de sus milpas. Para protegerse construyó casas con troncos, ramas y cañas, y las cubrió con techos de palma o zacate. Para guardar agua y cocinar sus alimentos fabricó ollas, cuencos y platos de barro. Así surgieron las primeras comunidades. Las aldeas de hace tres mil años estaban formadas por unas cuantas casas; muchas tenían un patio y pozos para guardar granos y mazorcas. Cuando una persona moría, se le enterraba cerca o debajo de su casa junto con vasijas de cerámica, figurillas de barro cocido, adornos, comida y todo aquello que pudiera serle útil en la otra vida. Conocían los movimientos de los astros y las estaciones del año, sabían cuándo comenzaban las lluvias y cuándo debían sembrar. Entonces hacían fiestas y ceremonias para que las cosechas fueran abundantes.

Los orígenes de Mesoamérica

En el mundo se conocen sólo seis lugares donde se originó la civilización. En Egipto, Mesopotamia, China e India, las ciudades crecieron a la orilla de los grandes ríos; en Mesoamérica y los Andes se fundaron en las regiones montañosas. Mesoamérica se extendía desde Sinaloa y Zacatecas, en México, hasta Centroamérica. Es un área compleja y montañosa en la que se dan todos los climas y paisajes, de modo que la variedad de recursos es enorme. Además, los valles con tierras fértiles y agua abundante son numerosos y dieron sustento a una gran cantidad de personas. Las diferentes regiones de Mesoamérica intercambiaban sus productos típicos; así, el contacto entre las diversas culturas facilitó la difusión de las ideas y los descubrimientos. Como resultado de lo anterior, todos los pueblos de Mesoamérica compartieron creencias y costumbres parecidas acerca de la religión, la política y la organización de la sociedad. Durante milenios el hombre americano tuvo que sortear grandes dificultades para alcanzar la civilización. Cuarenta mil años atrás, en la Edad Glacial, el hombre cruzó el estrecho de Bering y colonizó el continente americano. La retirada de las glaciaciones dio origen a un nuevo clima con una estación lluviosa y otra de sequía, por lo que los grupos humanos tuvieron que adaptarse: basaron su alimentación en frutos, hierbas y semillas, seleccionaron las plantas más productivas y finalmente lograron domesticarlas. Para sobrevivir, el hombre construyó sus casas cerca de sus plantíos; así surgieron las primeras aldeas, en las que se desarrolló la alfarería, el comercio, la vida en comunidad, la política y la religión.

Primeras huellas del hombre en México

Los primeros hombres que llegaron al continente americano procedían del norte de Asia. Hace 40 mil años cruzaron el estrecho de Bering, cuando el nivel del mar bajó y se formó un puente de tierra entre Alaska y Siberia. Andando tierra adentro, algunos grupos llegaron a lo que ahora es México. Poco conocemos del modo de vida de estos primeros pobladores: se organizaban en pequeños grupos y vagaban continuamente en busca de alimento. Fabricaban instrumentos de piedra, hueso y madera con los que capturaban y destazaban animales; de ellos aprovechaban la carne y la piel. En México se han descubierto pocas huellas de estos antiguos habitantes: sólo algunos instrumentos en San Luis Potosí, en Puebla y en el valle de México. Un hallazgo importante realizado cerca de la ciudad de México fue un hueso con cortes y perforaciones conocido como el Sacro de Tequixquiac, que es una de las primeras obras de arte del continente americano.

La cultura olmeca
(1200-400 a.C.)

Hacia el año 1200 a.C., algunas aldeas habían crecido hasta convertirse en pueblos con más de mil habitantes. En estos pueblos surgieron los primeros especialistas, gente que se ocupaba solamente en algunos oficios: unos hacían vasijas de barro o instrumentos de basalto y obsidiana, otros hacían adornos de conchas y piedras finas que cambiaban por objetos llevados de lejos, como el jade de Guatemala o la obsidiana de Hidalgo. Con los artesanos y comerciantes olmecas, florecieron las artes y las técnicas. En Tabasco y Veracruz esculpieron enormes cabezas de piedra y tallaron exquisitas figurillas de jade y serpentina. En Guerrero construyeron templos y tumbas de piedra adornados con esculturas; en Oaxaca fabricaron espejos con cristales de hematita, y en el centro de México hicieron piezas de cerámica de gran valor artístico. La cultura olmeca, conocida como la "cultura madre", sentó las bases de las grandes civilizaciones de Mesoamérica.

La Venta
(900-400 a.C.)

Con los olmecas surgieron los centros ceremoniales. La Venta, establecida en una isla pantanosa cerca de la desembocadura del río Tonalá, en Tabasco, fue hace 2,500 años una de las principales poblaciones de Mesoamérica. En su parte más elevada se levantó una enorme pirámide cónica de más de 30 m de altura; alrededor se construyeron grandes plataformas de tierra, terrazas y plazas decoradas con arcilla de colores. Todos los edificios se orientaban de sur a norte a lo largo de un eje central; en los terrenos cercanos al eje, los antiguos habitantes enterraron enormes ofrendas de piedras finas, esculturas de basalto y figurillas de jade y serpentina. En La Venta, lugar arenoso, no había piedra; desde la sierra de los Tuxtlas, a decenas de kilómetros de ahí, transportaron enormes bloques de basalto, con los que esculpieron estelas, altares o tronos, y las famosas cabezas colosales, que quizá representaban a algún gobernante.

Cuicuilco
(400 a.C.-1 d.C.)

En los poblados donde vivían sacerdotes, gobernantes y artesanos se construyeron grandes templos, que comúnmente llamamos pirámides, para adorar a los dioses y amplias plazas adonde acudía gente de las aldeas vecinas a celebrar las fiestas e intercambiar productos. Cuicuilco fue uno de los centros más importantes del México central; en su tiempo, dominó el sur del valle de México, entonces una región de lagos, bosques y tierras de cultivo. En el centro del sitio se levantó un templo circular de casi 20 m de altura; a su alrededor había terrazas y altares de piedra y a las orillas del pueblo vivían los campesinos junto a sus milpas. Por el tamaño de las construcciones se cree que en Cuicuilco vivieron miles de personas. En sus últimos años, entró en conflicto con la otra gran potencia del valle de México, Teotihuacan, pero la erupción del volcán Xitle puso fin a las rivalidades: destruyó Cuicuilco cubriéndolo con lava y cenizas.

Recreación de la pirámide del centro ceremonial de Cuicuilco en el Preclásico Tardío, s/f, CIMNA.

Palenque
(400-800 d.C.)
Antigua ciudad maya situada en medio de la selva de Chiapas. Su primer gobernante fue Bahlum Kuk I, quien originó la primera dinastía palencana hacia 430 d.C. En su época de esplendor, la ciudad tenía decenas de miles de habitantes organizados en una rígida pirámide social: en la cima estaban el gobernante y sus familiares más cercanos; luego, las familias nobles compuestas de sacerdotes, guerreros y escribas; más abajo, artesanos, músicos y ceramistas, y en la base, campesinos y esclavos que con su trabajo mantenían al resto de la población. El reino de Palenque tuvo batallas constantes con sus vecinos. En ocasiones fue necesario realizar alianzas por medio de matrimonios entre los hijos de los caciques o gobernantes. Palenque perdió su poder después del año 800 d. C., y aunque la ciudad conservó parte de su población, ya no se levantaron nuevos monumentos. Poco después fue abandonada.

El Tajín
(¿300?-1100 d.C.)
Bautizada con el nombre de Tajín, dios del rayo entre los pueblos totonacos, esta ciudad dominó el norte de Veracruz entre los años 300 y 1100 d.C. El sitio se encuentra ubicado entre lomeríos modificados por medio de terrazas y grandes muros de piedra. En el centro ceremonial de la ciudad se erigieron pirámides decoradas con grecas, nichos, cornisas de piedra y esculturas; la construcción más célebre es la pirámide de los Nichos, que tenía un nicho por cada día del año (365). Son famosas sus canchas para el juego de pelota —más de once— decoradas con relieves donde aparecen jugadores sacrificados. La arquitectura y el estilo artístico de esta ciudad se extendieron entre la Huasteca y la sierra de Puebla, lo que sugiere su dominio sobre una región con variados recursos naturales que vendía a pueblos del centro de México y del área maya. El Tajín sobrevivió varios siglos al derrumbe de Teotihuacan y de las ciudades mayas antes de ser abandonado.

Pacal
(603-683 d.C.)
Es el más famoso de los gobernantes de Palenque; su nombre significa escudo. Hijo de Kan Bahlum Mó y Zak Kuk. Era miembro de la más alta nobleza. Se le consideraba un ser divino, y a su madre, la Primera Madre, la que dio origen a los dioses de la creación. Ascendió desde los 12 años al gobierno de la ciudad, aunque su madre llevó las riendas del poder mientras tuvo vida. Pacal fue un gran arquitecto y excelente artista; durante su reinado se construyeron el templo del Conde y el templo Olvidado, y se amplió el palacio donde vivía con familiares y sirvientes. Su mayor obra fue su tumba: el templo de las Inscripciones. Constaba de un sarcófago de piedra dentro de una cripta a la que se descendía desde lo alto del templo. Pacal vivió casi ochenta años; tuvo dos hijos que después fueron gobernantes de Palenque: Chan Bahlum y Kan Xul.

Las primeras civilizaciones de México

La historia del México prehispánico se ha dividido en tres grandes épocas: el preclásico, el clásico y el posclásico. El periodo preclásico o formativo duró desde el 1600 a.C. hasta los inicios de nuestra era; en ese tiempo la gente que vivía en aldeas y pueblos comenzó a construir los primeros templos para adorar a sus dioses. El periodo clásico (del año 1 al 900 d.C.) fue la época de las primeras ciudades, durante la cual aparecieron la escritura jeroglífica, los mercados, los palacios, los ejércitos y la administración pública; entonces florecieron la religión y las artes en toda Mesoamérica. Tikal, Copán, Palenque, Calakmul y muchas otras ciudades surgieron en medio de las selvas mayas; en sus monumentos quedó plasmada la historia de sus gobernantes: su nacimiento, su ascenso al trono, sus matrimonios y sus hazañas guerreras. En el centro de México, la gran metrópoli de Teotihuacan dominó sin rivales. Sacerdotes, guerreros, artesanos y comerciantes fueron la base de su poder. En el golfo de México, en sitios como El Tajín, Remojadas y otros, se desarrolló una cultura particular conocida por sus caritas de barro sonrientes y por las extrañas esculturas que representaban yugos, palmas y hachas. En Oaxaca, Monte Albán fue el sitio más poderoso de la región; sus conquistas se extendieron por todo el estado y llegó a tener colonias de artesanos en la misma ciudad de Teotihuacan. Entre los años 700 y 900 d.C., el mundo clásico se derrumbó: Teotihuacan fue abandonada y las ciudades mayas tragadas por la selva. Los sobrevivientes de las antiguas ciudades se reorganizaron, crearon nuevos reinos y conquistaron nuevos imperios. Esta segunda época de esplendor, conocida como la época posclásica, fue interrumpida por la llegada de los españoles.

Culturas del occidente de México (periodo clásico)
En el occidente de México surgieron algunas de las culturas más originales del México antiguo. No construyeron grandes ciudades ni realizaron monumentos de piedra; en Jalisco, Colima y Nayarit se han encontrado restos de aldeas cuyas casas rodeaban una plaza circular con una pequeña pirámide en el centro. Sus tumbas tenían un gran pozo o tiro de varios metros de profundidad y uno o varios cuartos laterales donde se colocaban los cadáveres junto con objetos varios. De ellos, los más interesantes son las figuras huecas de barro que representan perros, loros, armadillos, mujeres que cargan a sus hijos, caciques paseando en palanquines, guerreros, aguadores, músicos, casas con todo y moradores e incluso escenas de pueblos con personajes que bailan en una plaza, alrededor de un templo, donde tocan varios músicos. Este complejo cultural contiene algunos de los testimonios más completos sobre la vida diaria que haya dejado pueblo indígena alguno.

Teotihuacan
(500 a.C.-750 d.C.)
Fue la primera gran ciudad del México antiguo, capital de un reino que dominó la mayor parte del actual centro del país. Su influencia alcanzó lugares tan distantes como Guatemala o Jalisco. Según una leyenda azteca, en Teotihuacan se reunieron los dioses para crear el sol, la luna y el movimiento de los astros. La metrópoli estaba claramente planeada. En el centro se levantaron las grandes construcciones religiosas: las pirámides del Sol y de la Luna, el templo de Quetzalcóatl y la calzada de los Muertos; alrededor de estos edificios, se hallaban los palacios de los sacerdotes y los gobernantes, quienes atendían a más de cien mil personas. Fuera del centro, la ciudad se dividía en cuatro sectores, donde vivían artesanos, guerreros, campesinos, comerciantes y gente común. Las casas eran de piedra y adobe; todas tenían un patio central y drenaje. Después de más de siete siglos de dominio teotihuacano la ciudad fue destruida y abandonada.

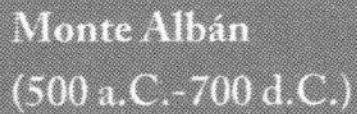

Monte Albán
(500 a.C.-700 d.C.)
Capital de los zapotecos durante más de 1,200 años, la antigua ciudad de Monte Albán fue fundada en lo alto de una montaña; se cree que sus habitantes procedían del valle de Oaxaca. Alrededor de una enorme plaza, que abarcaba unas seis hectáreas, construyeron templos y palacios de piedra. Las habitaciones de los nobles contaban con patio central y cripta familiar subterránea. Enterraban a sus muertos junto a grandes urnas de cerámica que representaban a sus dioses. Se cree que adoraban a más de treinta dioses distintos. Su edificio más antiguo es el templo de los Danzantes; en él hay más de trescientas esculturas que posiblemente representan prisioneros capturados por la ciudad. Frente a este edificio hay una construcción con lápidas jeroglíficas que indican su dominio sobre unas cuarenta poblaciones. En el mismo Monte Albán, aunque perteneciente a una cultura posterior, se encontró la tumba 7, famosa por las joyas de oro, turquesa y cristal de roca halladas en ella.

Murales de Bonampak
(786 d.C.)
La ciudad de los muros pintados, Bonampak, fue la capital de un pequeño reino maya situado en medio de la selva lacandona. Aquí se descubrió un templo de tres recintos completamente pintados con las representaciones de una batalla y el sacrificio de los vencidos. Son los murales más grandes del mundo maya hasta hoy conocidos. Con ellos, el gobernante Chaan Muan (cielo-ave Muan) celebró la victoria contra un reino vecino en 786 d.C., y el nombramiento de su hijo como heredero al trono. Las escenas son invaluables para comprender la sociedad maya, pues antes del hallazgo se pensaba que las ciudades formaban parte de un imperio pacífico dedicado a la observación de los astros y a calcular el paso del tiempo, mientras que hoy sabemos que cada ciudad era la cabeza de un reino en constante conflicto con sus vecinos. Los murales muestran también que las mujeres participaban en el gobierno de Bonampak.

Fiestas y ceremonias. Cultura Totonaca, Diego Rivera, 1950, PN-INBA.

Cacaxtla
(*ca*. 850 d.C.)

El sur de Tlaxcala, poblado desde tiempos muy antiguos, es una región de fértiles valles y ásperos lomeríos. Allí creció la ciudad de Cacaxtla, cuyo nombre deriva de la palabra cacaxtli, la bolsa o huacal que utilizaban los mercaderes en sus viajes. Era un centro comercial que comunicaba varias regiones de Mesoamérica. En el vecino cerro de Xochitécatl se construyeron enormes pirámides; en sus laderas, amplias terrazas, y en el centro de la ciudad, un magnífico palacio decorado con grandes murales. Las pinturas de Cacaxtla son las mejor conservadas del México antiguo; por su estilo, más parecido al arte maya que al del centro de México, se cree que los pintores eran del sur de Veracruz o de Tabasco. Representan las conquistas de Cacaxtla, así como mercaderes, seres mitológicos y batallas entre caballeros águila y caballeros tigre, cuya finalidad era capturar prisioneros para el sacrificio. Quizás ése haya sido el origen de las guerras floridas entre aztecas y tlaxcaltecas.

Xochicalco
(¿550?-1000 d.C.)

En náhuatl, Xochicalco significa "en la casa de las flores". Esta ciudad fue la cabecera de un reino que dominó el occidente de Morelos después del abandono de Teotihuacan. Situada sobre un cerro, fue una de las primeras poblaciones fortificadas del centro de México: terrazas, murallas, fosos y cavernas la defendían de los invasores. Sus templos, sus juegos de pelota, sus cámaras subterráneas —donde se medía el paso del sol— y sus palacios nos indican que Xochicalco era también un centro ceremonial importante, donde sacerdotes y gobernantes discutían problemas de religión. El templo principal está decorado con relieves referentes al culto a Quetzalcóatl (la serpiente emplumada); los jeroglíficos denotan el contacto con Oaxaca, Veracruz y el área maya. Xochicalco tuvo su época de esplendor del 700 al 1000 d.C.; su poder decayó quizá por la presencia de reinos rivales, como el tolteca o el matlatzinca.

Tula
(700-1180 d.C.)

En las narraciones indígenas, Tula se describe como un lugar de enormes riquezas en el que florecían las ciencias y las artes. Los hallazgos arqueológicos nos cuentan otra historia: Tula fue una ciudad importante, pero de menor tamaño que Teotihuacan o Cholula, y en vez de imágenes de sabios abundan escenas relacionadas con la guerra. Sin embargo, construyó un vasto imperio en el centro de México. En Tula surgen los grandes corredores y patios rodeados por columnas, las imágenes de águilas y jaguares que devoran corazones humanos, las esculturas reclinadas conocidas como Chac Mool, las escenas de guerreros en procesión, los muros de serpientes o coatepantli. Muchas de estas innovaciones toltecas fueron adoptadas por los mayas, los tarascos y los mexicas. Durante el reinado de Huémac, sequías y rebeliones debilitaron a la ciudad, que poco después cayó en manos de los chichimecas.

La época de los imperios

Nadie sabe con seguridad cuáles fueron las causas que motivaron la caída de Teotihuacan o el colapso de las antiguas ciudades mayas, pero el hecho es que después del 900 d.C. el mundo mesoamericano comenzó a reorganizarse bajo nuevas reglas. Fue una época de inestabilidad general; surgían pequeñas ciudades que se volvían poderosas por algún tiempo, luego desaparecían al ser conquistadas por nuevos reinos. Las poblaciones se ubicaron entonces en lugares de fácil defensa, construyeron fosos y murallas alrededor de sus casas y templos, y en lo alto de las montañas levantaron fortalezas. Desde Yucatán hasta Sinaloa aparecieron imágenes de guerreros asociadas al culto de Quetzalcóatl-Kukulkán; procesiones de soldados y batallas adornaron los palacios de Tula, Chichén-Itzá y Cacaxtla, y las representaciones de sacrificios humanos se volvieron más comunes. Una nueva ideología guerrera se difundió por todas partes. De acuerdo con ella, la guerra y el sacrificio eran necesarios para mantener al sol en su lucha diaria contra las fuerzas de la oscuridad y la noche, mientras que los caballeros águila y los caballeros tigre luchaban sin tregua para asegurar el movimiento de los astros. En esos tiempos difíciles, se forjaron los imperios que después dominarían gran parte de Mesoamérica, el tolteca, el tarasco y el azteca; en sus orgullosas capitales prosperaron las artes —como la orfebrería y la pintura de códices— y se establecieron escuelas en las que se enseñaba historia, religión, artes guerreras, canto y administración pública. Mientras, los pueblos conquistados trabajaban la tierra y pagaban tributos para mantener el esplendor de las nuevas metrópolis.

Ce-ácatl Topiltzin Quetzalcóatl

Quetzalcóatl fue uno de los dioses más complejos del México prehispánico. Es un héroe que crea el mundo con el cuerpo de la madre tierra, es quien roba los huesos del reino de los muertos y los rocía con su sangre para dar vida a los seres humanos, es quien roba el maíz para darlo a los hombres. Es el viento que barre la tierra preparando la llegada de Tláloc, es la estrella de la mañana, compañero del sol en su lucha contra las fuerzas de la noche. Pero el dios Quetzalcóatl también es un hombre, un sacerdote llamado Ce-ácatl Topiltzin, concebido por su madre al tragarse una piedra preciosa. Durante su reinado, enseñó a los toltecas los secretos escondidos del cielo y la tierra. Se decía que era un hombre casto y lleno de virtudes. Pero su rival, el dios-brujo Tezcaltlipoca, lo engañó y lo emborrachó, mató a sus seguidores y sembró la discordia. Ce-ácatl Topiltzin, deshonrado, huyó hacia el mar, desde donde prometió volver para recuperar lo suyo.

Chichén Itzá
(900-1200 d.C.)

En medio de la península de Yucatán surgió la última gran ciudad maya, cuyo nombre significa "en el pozo de los itzaes". Hacia 987 d.C., cuando casi todas las ciudades mayas estaban ya deshabitadas, fue conquistada por los invasores itzaes. Este nuevo pueblo introdujo en Yucatán ideas toltecas: el culto a Kukulkán, la versión maya de Quetzalcóatl, el gobierno de guerreros, el uso del metal, los altares de cráneos llamados tzompantli. La fusión de elementos de la cultura tolteca con la cultura maya es notoria en importantes edificios de esta ciudad: el juego de pelota más grande de Mesoamérica, el Observatorio, el altar del Cenote Sagrado y el Castillo, una enorme pirámide calendario con cuatro escaleras y 365 escalones, uno por cada día del año. En 1194 Chichén Itzá entró en conflicto con Izamal, una de sus ciudades rivales. Hunac Ceel, gobernante de Mayapán y aliado de Izamal, logró vencer a los itzaes.

Mitla
(¿1100?-1465 d.C.)

Mictlán era el nombre que los nahuas daban al reino de los muertos. Se cree que los conquistadores aztecas pusieron este nombre a la capital del reino mixteco del valle de Oaxaca, la actual Mitla. A diferencia de otras ciudades prehispánicas, no se encuentran en ella grandes pirámides, pero ahí se construyeron algunos de los palacios más elegantes del México antiguo. El edificio de las columnas es la construcción más suntuosa y mejor conservada. Sus muros fueron decorados con grecas y otros diseños realizados con decenas de miles de piedras recortadas y empotradas. Al parecer este edificio estaba pintado de rojo, el color de la muerte, la sangre y el sacrificio. Los antiguos pueblos indígenas daban su sangre a los dioses para alimentarlos y asegurar su protección, en compensación por el sacrificio de los dioses, quienes con su sangre dieron vida a los hombres en el origen del mundo.

Tzintzuntzan
(1400-1522 d.C.)

Cuando Tariácuri unificó bajo su mando a todos los pueblos del centro de Michoacán, eligió tres capitales para cada uno de sus hijos: a Hiquingare le tocó Pátzcuaro; a Hiripan, Ihuatzio, y a Tangaxoan, Tzintzuntzan, cuyo nombre significa "lugar de colibríes". El hijo de Tangaxoan unificó las tres cabeceras e hizo de su ciudad el centro del imperio purépecha; sus dominios ocupaban unos 80 mil km². Los purépecha eran guerreros, agricultores y pescadores. Sus rivales aztecas llamaban a su reino Michuacan, "lugar de peces", por el gran lago de Pátzcuaro situado en el corazón del imperio. Los ejércitos del cazonci, el rey, conquistaron numerosos pueblos que tributaban maderas, sal, cobre y alimentos a la capital. Sus casi 30 mil habitantes vivían de lo que producían el lago y las tierras de cultivo. Los templos purépecha se nombraban yácatas, su base tenía forma de T y sobre ella se construía una capilla circular.

Tulum
(1250-1521 d.C.)
Después de la caída de Chichen Itzá, comenzó la segunda decadencia de los mayas: las familias gobernantes se dividieron; las constantes guerras trajeron el hambre, la enfermedad y la muerte; la antigua sabiduría se perdió al fallecer los sacerdotes. Sólo algunas ciudades poderosas sobrevivieron tierra adentro. En las costas, el poder de los mercaderes de Acalan y Xicalango hizo surgir poblaciones a lo largo de la ruta comercial que unía a Honduras con Veracruz rodeando la península de Yucatán. Tulum era quizá la mayor de estas poblaciones costeras. Situada sobre un acantilado, controlaba el paso de las grandes canoas llamadas acales que transportaban mercancías. Sus templos podían verse a mucha distancia desde el mar y es probable que las primeras expediciones españolas hayan avistado este sitio, al que llamaron El Gran Cairo.

Tlacaélel
(¿?-1480)
Tlacaélel fue el constructor de la grandeza mexica: convirtió a un pequeño pueblo sometido por los tepanecas de Azcapotzalco en el mayor imperio de Mesoamérica. En 1426 Maxtlatl, rey tepaneca, había dado muerte a Chimalpopoca y amenazaba con aniquilar a todos los aztecas. Tlacaélel convenció entonces a Itzcóatl y a Nezahualcóyotl de que era necesario combatirlo; dos años después conquistaron Azcapotzalco. Así se creó la Triple Alianza entre las ciudades de Tenochitlan, Texcoco y Tlacopan (Tacuba). Tlacaélel nunca quiso ser rey, pero fue tan respetado que se decía que era él quien en realidad mandaba; por sus órdenes se quemaron los antiguos libros indígenas y se creó una nueva historia donde se decía que los aztecas eran los elegidos de Huitzilopochtli para dominar el mundo.

Cholula
(¿?-1545 d.C.)
Tal vez Cholula sea la ciudad de más duración en el Nuevo Mundo: ya en los primeros siglos de nuestra era existía ahí un centro ceremonial importante cuyos templos mostraban la influencia de Teotihuacan. Al paso de los siglos el templo principal se convirtió en la construcción más grande y voluminosa del mundo. Como Cholula estaba en el paso de las rutas comerciales que unían al centro de México con Oaxaca y Veracruz, allí se encuentran lo mismo vasijas teotihuacanas y aztecas que cerámicas mixtecas o totonacas. Durante el periodo posclásico, fue la capital de un reino independiente donde dominaban grupos olmeca-xicalanca procedentes del golfo de México, pero al final, ante la expansión de los aztecas, prefirieron unirse a éstos. Temeroso de una emboscada, Hernán Cortés mató a muchos indígenas al pasar por esta ciudad aliada de los mexicas.

Los pueblos indígenas a la llegada de los españoles

Cuando los conquistadores entraron en la antigua Tenochtitlan, quedaron tan asombrados que creyeron estar viendo visiones. En medio de una laguna se había construido una ciudad mayor que cualquier otra contemporánea en Europa, enormes templos se levantaban sobre el agua como en un gran espejismo. Moctezuma, el gobernante mexica, tenía millones de súbditos a su servicio y de sus vastos dominios llegaban los productos más variados al gran mercado de Tlatelolco, quizás el más grande del mundo en su época. Templos, canales, calzadas, palacios y jardines embellecían la capital azteca. En el territorio de Mesoamérica vivían muchos pueblos con lenguas y costumbres distintas: mayas, zapotecos, mixtecos, huastecos, totonacos, tlaxcaltecas, chiapas, etc., organizados en cientos de pequeños reinos que comprendían apenas una ciudad capital y algunas poblaciones menores. Los pueblos indígenas crearon una civilización original que logró grandes avances en la medicina, las matemáticas, la ingeniería, las artes y la astronomía. Detrás de la riqueza y el esplendor, estaban las guerras constantes, los sacrificios de prisioneros, y el odio latente de los pueblos sojuzgados que, conquistados y sometidos por los grandes imperios guerreros, ansiaban sacudirse el yugo que se les había impuesto. También los señoríos independientes sufrían el constante acoso de los ejércitos aztecas. A la llegada de los españoles varios reinos indígenas tenían en mente la misma idea que los conquistadores: vencer a Tenochtitlan, su principal enemigo.

Coyolxauhqui

En 1978 unos trabajadores descubrieron en la ciudad de México una gran piedra labrada que representa a una mujer con los brazos, la cabeza y las piernas separadas del cuerpo. Era Coyolxauhqui, "la de la máscara de cascabeles". Según un mito azteca, Coatlicue, la madre de los dioses, estaba en el cerro de Coatepec cuando una bola de plumas se introdujo en su vientre y la dejó preñada. Al conocer la noticia, su hija Coyolxauhqui (la luna) y sus hermanos, los Centzon Huitznahua (las estrellas), se enojaron tanto que intentaron matarla en el momento en que daba a luz; cuando iban a atacarla nació Huitzilopochtli. Resplandeciente como el sol, se vistió con las insignias de un guerrero y decapitó a su hermana; luego persiguió a sus 400 hermanos hasta darles muerte a todos. Coyolxauhqui yace descuartizada al pie del Templo Mayor, igual que cuando fue derrotada en la montaña sagrada de Coatepec.

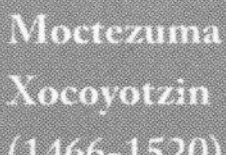

Tenochtitlan
(1325-1521 d.C.)

"Mientras exista el mundo, durará la fama y la gloria de México-Tenochtitlan", así se jactaban los orgullosos aztecas de su gran capital. En la "ciudad de Tenoch" más de cien mil personas vivían en medio de una laguna, cuatro enormes calzadas la comunicaban con tierra firme, un gran dique impedía las inundaciones y varios acueductos la abastecían de agua fresca. Las calles tenían banquetas de piedra y canales por los que circulaba un sinnúmero de canoas cargadas de flores y frutos cultivados en jardines flotantes a los que aún hoy llamamos chinampas. Había grandes palacios, escuelas, talleres de artesanos, el mercado más grande del mundo y hasta un zoológico.
En 1521 Tenochtitlan, capital del imperio mexica, fue derrotada y destruida por los ejércitos españoles y sus aliados indígenas; tres años después, de la orgullosa ciudad sólo quedaban ruinas.

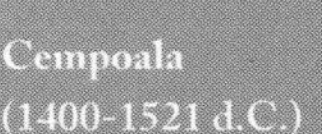

Moctezuma Xocoyotzin
(1466-1520)

Moctezuma fue el gobernante más poderoso del mundo indígena: sus dominios se extendían desde Guatemala hasta el sur de Tamaulipas. Hijo de Axayácatl, accedió al trono en 1502, conquistó Atlixco y emprendió campañas militares contra tlaxcaltecas y mixtecos. Amplió los edificios del centro ceremonial del Templo Mayor, entre ellos su propio palacio. Profundamente religioso, al saber de la llegada de los españoles a Veracruz creyó que el antiguo dios Quetzalcóatl regresaba a reclamar sus dominios. Si bien trató de impedir que los ejércitos de Cortés se acercaran a Tenochtitlan, su indecisión fue la causa de su muerte y de la derrota del imperio azteca. Se dice que, cuando la ciudad de Tenochtitlan se rebeló contra los españoles, Moctezuma fue muerto de una pedrada mientras trataba de calmar a sus súbditos.

Cempoala
(1400-1521 d.C.)

Situada en el centro de Veracruz, fue la última capital de los totonacos y la primera ciudad indígena visitada por los españoles. La antigua Cempoala se extendía a lo largo del río Actopan; miles de habitantes se concentraban alrededor de varios recintos ceremoniales rodeados por murallas, que cercaban grandes plazas, palacios y pirámides construidos con piedra de río y recubiertos con estuco de colores. Cuando Cortés llegó a Cempoala, la ciudad estaba sometida al dominio de Tenochtitlan, a la que pagaba tributo. Chicomecóatl, el gobernante de Cempoala conocido como el "cacique gordo", se alió a los españoles, y les proporcionó gente para combatir a los ejércitos mexicas. Cerca de esta ciudad, Cortés mandó hundir las naves para impedir que sus soldados regresaran a Cuba.

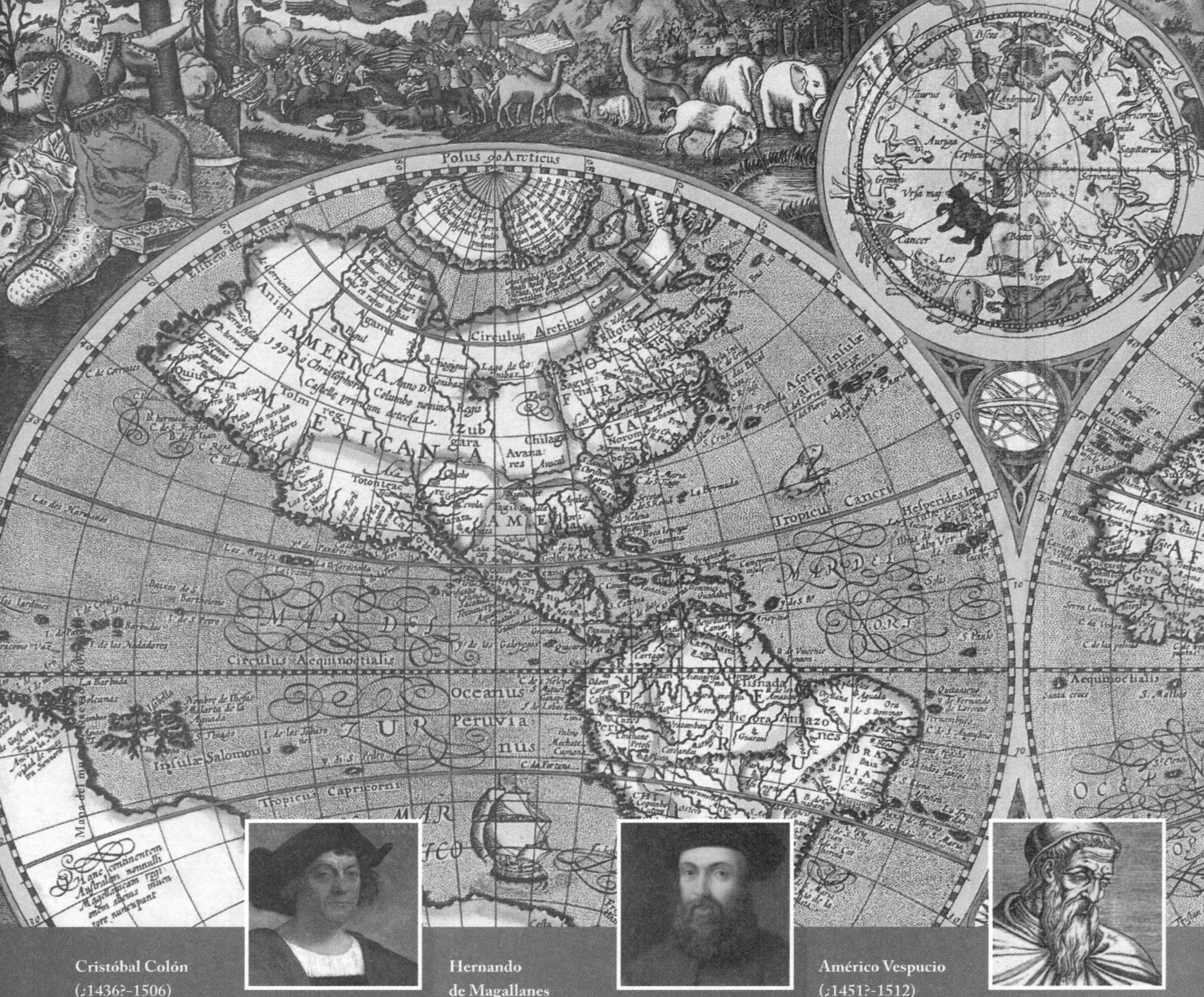

Cristóbal Colón
(¿1436?-1506)

El lugar de su nacimiento es discutido; los más atribuyen a Génova su origen, otros a Mallorca, Navarra o Galicia. Durante siglos se pensó que la tierra era plana, pero el marino Cristóbal Colón creía que era redonda y que si navegaba hacia el oeste, sobre el océano Atlántico, llegaría a la India, tierra del oro y las especias. Presentó su proyecto a los Reyes Católicos de España, quienes aceptaron ayudarlo en su empresa a pesar de que los recursos de la Corona estaban empeñados en la lucha contra los moros. Con sus tres carabelas: la Santa María, la Pinta y la Niña, Colón salió del puerto de Palos el 3 de agosto de 1492, y el 12 de octubre llegó a una isla que llamó San Salvador. Cuatro viajes hizo Colón hacia lo que hoy es América y descubrió nuevas islas como Cuba y Santo Domingo, a la que llamó La Española. Murió en Valladolid, España.

Hernando de Magallanes
(1470-1521)

Fernando o Hernando de Magallanes era un hombre audaz y determinado que, con ayuda de Carlos I de España, salió del puerto de Sanlúcar, en 1519, en busca de la tierra de las especias. Iba al mando de cinco naves y 259 hombres. Tres meses después llegó a las costas de Brasil y prosiguió al sur, dando la vuelta al continente. Descubrió el estrecho hoy llamado de Magallanes y, al atravesarlo, llegó al océano Pacífico, así bautizado por él. Tras miles de dificultades, hambre, sed, pérdida de naves, de hombres y deserciones, llegó a las islas Filipinas, donde, por ayudar al cacique de la isla de Mactan en contra de un rey rival, fue muerto. No pudo dar la vuelta al mundo, como se proponía, pero esa aventura la llevó a término uno de sus capitanes, Sebastián Elcano, después de tres años de navegación.

Américo Vespucio
(¿1451?-1512)

Américo Vespucio nació en Florencia, Italia. Según él mismo cuenta, llegó a España siendo ya hombre maduro, marino y cosmógrafo con experiencia. Salió de Cádiz en 1499 acompañado de Alonso Ojeda. Durante un año anduvo recorriendo las islas descubiertas por Colón y luego volvió a España para establecerse en Sevilla, donde vivió hasta su muerte. Tomó parte en varias expediciones al continente americano. Las peripecias de sus viajes fueron publicadas y ampliamente difundidas en Europa, por lo que su nombre se hizo más célebre que el del verdadero descubridor. Fue él, y no Colón, quien se dio cuenta de que las tierras descubiertas no eran las Indias sino un "nuevo mundo" hasta entonces desconocido. Los cartógrafos europeos, que conocían las obras de Américo, bautizaron nuestro continente con su nombre.

Las exploraciones geográficas europeas

La caída de Constantinopla en manos de los turcos cortó las rutas comerciales entre Asia y Europa. No queriendo prescindir de sedas, porcelanas, especias y otras mercaderías traídas de las Indias —como llamaban en aquel tiempo a las regiones del sureste asiático—, los europeos se lanzaron a la búsqueda de nuevas rutas. Los reinos de la península ibérica, con costas en el océano Atlántico, fueron la cuna de los principales descubrimientos de los siglos XV y XVI: los navegantes portugueses exploraron las costas de África hasta llegar a la India. Mientras tanto, los españoles se aventuraron hacia el oeste, y en su búsqueda de las Indias atravesaron inmensos océanos y descubrieron un continente. Después de varias décadas de exploraciones se establecieron nuevas rutas para viajar al sur de Asia, pero la magnitud de los hallazgos realizados en el camino opacaron el objetivo inicial; los portugueses se dedicaron al lucrativo negocio del tráfico de esclavos y España se convirtió en una potencia mundial que poseía enormes territorios. Los descubrimientos geográficos significaron mucho más que beneficios económicos. Más importante fue la expansión del conocimiento humano. La vuelta al mundo realizada por Hernando de Magallanes y Sebastián Elcano demostró la redondez de la tierra, los territorios y océanos descubiertos duplicaron la extensión del mundo hasta entonces conocido por los europeos. Plantas y animales cuya existencia se ignoraba enriquecieron la alimentación y facilitaron el trabajo de millones de personas tanto en el viejo continente como en el Nuevo Mundo.

Los Reyes Católicos
Fernando de Aragón (1452-1516) e Isabel de Castilla (1451-1504), gobernantes de España. Él era rey de Aragón; ella, reina de Castilla. Con su matrimonio celebrado en 1469, se consolidó una nación donde la habilidad de Fernando se unía a la inteligencia y el tacto de Isabel. Juntos dedicaron sus mayores esfuerzos a la lucha en contra de los árabes que habían invadido la península 800 años atrás. Por el hecho de haber logrado la expulsión de los moros de Granada y por su celo religioso se les llamó los Reyes Católicos. Dominaron algunas regiones del norte de África y conquistaron las islas Canarias. Se les reconoce por el apoyo que dieron a Cristóbal Colón, quien con su ayuda descubrió en 1492 unas tierras que más tarde se llamarían América.

Vasco Núñez de Balboa (1475-1517)
Explorador español, nació en Jerez de los Caballeros y murió en Acla (Portobelo), Panamá. Se estableció en La Española y se hizo agricultor, pero luego, dejándolo todo, se embarcó clandestinamente con Enciso, recién nombrado gobernador de Darién, en el actual Panamá. Balboa intrigó y soliviantó a los colonos en contra de Enciso. Aprovechando la confusión se constituyó en caudillo de Santa María la Antigua. Mientras Enciso gestionaba en España la destitución de su antiguo colaborador, Balboa, con sólo 90 hombres y muchas dificultades, atravesó selvas y pantanos hasta divisar, desde lo alto de una serranía, el océano Pacífico, al que bautizó con el nombre de mar del Sur. Después de tomar posesión de éste en nombre del rey, regresó a Darién. Enciso, que ya estaba de regreso como gobernador de Panamá, lo enjuició y mandó ejecutar públicamente.

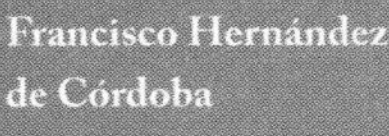

Francisco Hernández de Córdoba (1475-1526)
Explorador español, llegó a Cuba en 1511 acompañando a don Diego Colón, hijo de Cristóbal Colón el descubridor, quien lo contrató, como a muchos otros soldados, para dominar las tierras descubiertas por su padre. Al oír hablar de tierras muy pobladas al sur de Cuba, organizaron una expedición para capturar indígenas y luego venderlos. En Cuba, el gobernador Diego Velázquez les regaló un navío y ellos compraron otros dos con su dinero. Se hicieron a la mar con 110 hombres y una terrible tormenta los arrojó a las playas de Yucatán, con lo cual se convirtieron en los primeros exploradores que pusieron pie en territorio mexicano. Al navegar a lo largo de la costa, llegaron a un pueblo de Campeche donde fueron atacados y sólo se les permitió abastecerse de agua. En Champotón, Hernández de Córdoba fue alcanzado por una flecha; murió semanas después a consecuencia de la herida.

Juan de Grijalva (¿1489?-1527)
Nació en Segovia, España. A los 28 años llegó a Santo Domingo y de ahí se trasladó a Cuba, donde su tío, Diego Velázquez, era gobernador. En 1518 zarpó de la isla, llevando a bordo de sus cuatro buques a 240 hombres de guerra y exploradores, entre ellos Pedro de Alvarado, Bernal Díaz del Castillo y Francisco de Montejo. Llegó a la isla de Cozumel y rodeó la península de Yucatán hasta la laguna de Términos, en el sur de Campeche; descubrió la desembocadura del río Usumacinta, al que bautizó con el nombre de Grijalva, y exploró el Papaloapan, al que llamó río de Alvarado; desembarcó cerca del actual puerto de Veracruz y desde ahí observó las cumbres nevadas del Pico de Orizaba. De regreso en Cuba, fue criticado por no establecer una colonia española en las nuevas tierras. Murió en un ataque indígena en el actual territorio de Honduras.

La fusión de dos culturas, Jorge González Camarena, 1963, CIMNH

Cuitláhuac
(1476-1520)
Penúltimo emperador azteca. Hijo de Axayácatl y hermano de Moctezuma II —aunque mucho más joven y valeroso que éste—, fue señor de Ixtapalapa y llegó a organizar expediciones en contra de algunos pueblos hostiles. Con el arribo de los españoles a Tenochtitlan, fue hecho prisionero junto con otros nobles; luego fue liberado con la condición de convencer a los indios de someterse. Cuitláhuac hizo lo contrario: los organizó para pelear, convocó a los pueblos aliados a unirse para combatir a los intrusos y tomó parte activa cuando éstos, durante la llamada Noche Triste, salieron huyendo de México-Tenochtitlan. Al morir Moctezuma, Cuitláhuac tomó su lugar como rey de los mexicas. Su reinado fue breve pues cayó víctima de la viruela, enfermedad que trajeron a América los hombres de Narváez.

Cuauhtémoc
(1502-1525)
Último rey azteca. Hijo de Ahuízotl, su nombre significa "águila que cae". Después de la muerte de Cuitláhuac, Cuauhtémoc organizó la defensa de Tenochtitlan, a la que los españoles habían sitiado con el apoyo de los ejércitos indígenas enemigos de los aztecas. Los mexicas comandados por Cuauhtémoc lucharon ferozmente, pero fueron vencidos. Su rey se entregó a los conquistadores, a quienes pidió que lo mataran con su propio cuchillo. Prisionero de Cortés, Cuauhtémoc permaneció aislado y custodiado. Cuando don Hernán tuvo que ir a las Hibueras (hoy Honduras), lo llevó consigo junto con otros miembros de la nobleza mexica. Al acercarse al poblado de Itzancanac, como temiera un levantamiento de indios, Cortés decidió ahorcar y decapitar a Cuauhtémoc.

Pedro de Alvarado
(1485-1541)
Originario de Badajoz, España. A los 25 años, él y cinco hermanos suyos salieron hacia La Española (Santo Domingo) y de ahí a Cuba. En la expedición de Juan de Grijalva, exploró el litoral del golfo de México. Capitán del ejército de Cortés, colaboró en la conquista de Tenochtitlan. Los indios lo llamaban Tonatiuh (el dios del sol para los aztecas) por el color de su cabellera y su barba. En las matanzas de Cholula y el Templo Mayor mostró su crueldad y su espíritu sanguinario. De 1523 a 1526 realizó la conquista de Guatemala y luego se embarcó a España para reclamar los territorios conquistados. Confirmado como gobernador de Guatemala, en 1539 regresó a la Nueva España, donde organizó una expedición a la costa del Pacífico. Murió arrollado por un caballo en una contienda contra los indígenas del sur de Zacatecas.

La ocupación militar española

A las travesías de los navegantes siguieron las hazañas de los conquistadores, guerreros movidos tanto por el fervor religioso como por la ambición de fama, poder y riquezas. Su propósito fue propagar la fe cristiana entre los reinos indígenas, aumentar el número de súbditos del rey de España, y obtener para sí mismos fama, recursos, poder y títulos nobiliarios. Con mejores armas y técnicas guerreras que los pueblos nativos de América, unos cuantos cientos de soldados lograron someter a millones de indígenas. A su favor estuvo la audacia de capitanes como Pizarro y Cortés, y muchas veces la suerte y la habilidad los libraron de morir en manos de sus enemigos. En la conquista de México-Tenochtitlan los soldados españoles tuvieron dos aliados inapreciables: el odio que muchos pueblos sentían hacia sus opresores mexicas y las enfermedades infecciosas desconocidas para los indígenas fueron las armas más mortíferas de los europeos. Contra la viruela y el sarampión no había defensa posible, y éstas causaron muchas más muertes que todas las acciones militares juntas. La conquista de México significó la desaparición de los antiguos señoríos prehispánicos, pero de ningún modo la destrucción total de la antigua civilización mesoamericana; los antiguos reyes indígenas y los nuevos señores españoles emparentaron entre sí, y dentro de un nuevo orden político gobernaron a sus pueblos al lado de los sacerdotes cristianos, mensajeros de una nueva religión que sería compartida por todos los pobladores de la Nueva España.

Hernán Cortés
(1485-1547)

Capitán y conquistador de México, inteligente, audaz y carismático. Nació en Medellín, España. Muy joven vino a América y desde la isla de Cuba salió al mando de una expedición hacia México. En un lugar de Tabasco le regalaron 20 doncellas, entre ellas la Malinche, quien fue su intérprete. Fundó la Villa Rica de la Vera Cruz; marchó al interior y luchó contra ejércitos tlaxcaltecas, a los que convirtió en sus aliados. En Tenochtitlan fue recibido por Moctezuma. En 1521, después de un año de luchas, Tenochtitlan fue sitiada y derrotada; Cortés organizó la nueva nación mexicana, creó alianzas con los señores indígenas y junto con ellos realizó viajes por mar hasta California y a través de las selvas hacia Honduras. Recibió los títulos de capitán general y marqués del Valle de Oaxaca. Más tarde fue llamado a España, donde murió.

Nuño Beltrán de Guzmán
(¿?-¿1550?)

El conquistador de la Nueva Galicia (lo que hoy es Jalisco, Nayarit, Aguascalientes, parte de Zacatecas y Sinaloa) nació en Guadalajara de Castilla. Sentó fama por los puestos que ocupó: gobernador del Pánuco y presidente de la primera audiencia, pero su mala conducta y crueldad hacia los indios lo hicieron odioso y digno de un proceso. Para librarse del juicio marchó hasta Sinaloa. En su recorrido cometió multitud de atropellos e injusticias, como el tormento y muerte del cazonci Tangaxoan, rey de los tarascos. A Guzmán se debe la fundación de San Miguel de Culiacán, en 1531, así como la de la villa de Tepic; en 1532 fundó Guadalajara. Tres años después, Nuño de Guzmán fue destituido y enviado a España. Murió en la cárcel de Valladolid.

Bernal Díaz del Castillo
(¿1492?-¿1585?)

Conquistador y cronista español, debe su fama al libro que escribió: *Historia verdadera de la conquista de la Nueva España*. En él relata las primeras expediciones españolas en territorio mexicano y las hazañas guerreras de los conquistadores que concluyeron con la derrota de Tenochtitlan. Nació en Medina del Campo. Siendo muy joven se embarcó con Pedrarias Dávila hacia América, y desde Cuba se alistó como soldado en la expedición de Francisco Hernández de Córdoba; de vuelta en Cuba, se alistó de nuevo bajo el mando de Hernán Cortés, con quien compartió los acontecimientos de la conquista. Terminada ésta, se trasladó a Guatemala, donde escribió su famosísimo libro. Allá murió, ya muy viejo.

Francisco de Montejo
(padre, 1479-1553)
(hijo, 1508-1565) (sorbino, ¿1517?-¿1572?)

Familia de conquistadores. Francisco, llamado el Viejo, nació en Salamanca, España, en 1479. Vino a México en la expedición de Cortés. En dos ocasiones acudió como embajador suyo a la corte española. Regresó de su segundo viaje con la autorización para conquistar la península yucateca. En 1527, derrotado por los indígenas mayas, abandonó la conquista. En una segunda expedición fue ayudado por su hijo y por su sobrino, de igual nombre, quienes consumaron la conquista de Yucatán al establecer alianzas con los caciques más poderosos. Francisco de Montejo el Viejo fue sometido a juicio de residencia y murió en España, pobre y abandonado. Francisco de Montejo el Mozo fue gobernador de Yucatán, fundó la ciudad de Mérida y murió en ella. Francisco de Montejo, el sobrino, fundó la ciudad de Valladolid en 1543.

El bautizo de Cuauhtémoc, José Vivar y Valderrama, s. XVIII, CIMNH.

Fray Toribio de Benavente (1491-1569)

Misionero español. Fue uno de los doce primeros franciscanos que vinieron a la Nueva España poco después de la caída de Tenochtitlan. Aquí mudó su apellido por el de Motolinía, que significa pobre y doliente. Aprendió la lengua náhuatl y recorrió el centro y el sur de la Nueva España. Se le atribuye la fundación de Puebla y una carta al emperador Carlos V sobre cómo hacer de México una nación separada bajo el cetro de un príncipe cristiano. También se le atribuyen varias obras sobre la *Historia de los indios*. Escribió en náhuatl el *Martirio de los niños de Tlaxcala*. Fue guardián de media docena de conventos franciscanos, vicecomisario y provincial de su orden. Impuso el bautismo masivo a los indios, a diferencia de fray Bartolomé de las Casas, quien abogaba por la conversión voluntaria. Ambos fueron grandes defensores de los indios.

Fray Juan de Zumárraga (1468-1548)

Arzobispo de México. Nació en Durango, España. Muy joven ingresó en la orden franciscana. Vino a la Nueva España en 1528 con el cargo de protector de los indios; polemizó con los primeros oidores en favor de los naturales. Consagrado obispo de México en 1534 y luego arzobispo en 1546, introdujo la imprenta al nuevo país, fundó los colegios de Tlatelolco y San Juan de Letrán y el Hospital del Amor de Dios. Promovió la fundación de la Real y Pontificia Universidad de México y escribió varias obras: *Breve y más compendiosa doctrina*, *Manual de adultos*, *Doctrina breve muy provechosa*, *Regla cristiana breve*. Se dedicó a la enseñanza de los indígenas, a quienes protegió incluso a costa de su vida, pero fue implacable con algunos idólatras.

Fray Bartolomé de las Casas (1474-1566)

Misionero dominico y obispo, nació en Sevilla, España. Abogado por la Universidad de Salamanca, se mudó a Santo Domingo, isla descubierta por Cristóbal Colón tres años antes. Fue encomendero de indios en Cuba. Más tarde, ingresó en la orden de Santo Domingo. Establecido en Guatemala, convirtió pacíficamente a los indios de la provincia de la Vera Paz. En España logró que se hicieran las Leyes Nuevas, cuyas disposiciones favorecían a los indios y eran contrarias a los encomenderos. En 1544 fue consagrado obispo de Chiapas. Vuelto a España disputó con don Juan Ginés de Sepúlveda defendiendo la libertad y la igualdad de los indios con respecto a los españoles. Publicó la *Brevísima relación de la destrucción de las Indias*, base de la "leyenda negra" inventada por las naciones envidiosas de España.

La evangelización

Según el mismo Hernán Cortés, la razón principal de la conquista era la implantación de la fe cristiana entre los indígenas, por lo que solicitó el envío de frailes a las nuevas tierras conquistadas. En 1524 llegó a la Nueva España un grupo de doce frailes franciscanos y poco después arribaron dominicos y agustinos. En 1540 ya había más de un centenar de misioneros diseminados por todos los territorios conquistados. Se fundaron las diócesis de Tlaxcala, México, Michoacán y Oaxaca. Cada fraile, al llegar, se imponía dos tareas: aprender una o varias lenguas indígenas y conocer las costumbres locales relacionadas con el culto a los antiguos dioses. La labor principal de los misioneros fue implantar la fe cristiana entre los naturales por medio de la prédica, la preparación de catequistas, la redacción de doctrinas o catecismos y la administración de sacramentos como el bautizo y el matrimonio. Su obra no se detuvo ahí: congregaron a los indígenas en nuevas poblaciones, levantaron conventos, capillas e iglesias, construyeron caminos, puentes y acueductos, crearon hospitales y escuelas donde se enseñaban diversos oficios, defendieron a los nuevos cristianos del abuso de los encomenderos y registraron las costumbres e historia de los antiguos pueblos indígenas. Pero para alcanzar su propósito también destruyeron imágenes y libros indígenas, y persiguieron a aquellos que seguían practicando el culto a sus dioses. La labor evangelizadora de los frailes fue realizada con un enorme entusiasmo; muchos murieron a causa del agotamiento y la vida austera que llevaban. En poco más de cuarenta años habían transformado la mentalidad de millones de indígenas, quienes convertidos al cristianismo crearon la mayor nación católica de su tiempo.

Fray Pedro de Gante
(¿1480?-1572)
Misionero franciscano, nació en Gante, Bélgica. De él se decía que tenía un parentesco muy cercano con el emperador Carlos V. Fue uno de los tres primeros frailes venidos a la Nueva España en 1523. En Texcoco aprendió la lengua náhuatl y fundó una escuela para indios. Al año siguiente, en la ciudad de México, puso en marcha el Colegio de San Francisco, en el que llegó a recibir hasta mil estudiantes; allí se enseñaban primeras letras, industrias y los oficios de cantor, músico, imaginero, sastre, zapatero, enfermero, catequista y otros. Construyó varias iglesias y fue autor de una *Doctrina cristiana* en lengua mexicana que fue impresa en Amberes y en México y que sirvió mucho para la cristianización de los pueblos nahuas.

Vasco de Quiroga
(¿1470?-1565)
Funcionario público y obispo de Michoacán, nació en Madrigal de las Altas Torres, cerca de Ávila, España. Se desconoce su fecha de nacimiento. En 1531 llegó a la Nueva España con el cargo de oidor. En seguida visitó y puso en paz a la región de los purépecha. Fundó un tipo muy original de comunidad indígena que llamó hospital-pueblo, donde sus habitantes compartían todos los bienes que se producían ahí. Desde 1538 hasta su muerte fue obispo de Michoacán. Llamado Tata Vasco por los indios purépecha, procuró hacer de ellos cristianos al modo de los de la iglesia primitiva; fundó pueblos e introdujo industrias en cada uno de ellos. Dejó escritos varios sermones, una doctrina y las reglas para el gobierno de los hospitales-pueblo de Santa Fe.

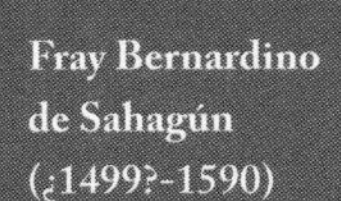

Fray Bernardino de Sahagún
(¿1499?-1590)
Religioso franciscano e historiador, nació en la villa de Sahagún, España. Pasó a la Nueva España en 1529; fue maestro en el Colegio de Santa Cruz de Tlatelolco. Sus actividades misioneras fueron superadas por su *Historia general de las cosas de la Nueva España*, en la que trabajó 25 años. Se trata de una obra en 12 libros sobre economía, instituciones políticas y sociales, religión, ideas, costumbres e historia de los antiguos pueblos del centro de México. La obra escrita de Sahagún ha merecido, además del adjetivo de monumental, la fama de ser la máxima investigación de la cultura náhuatl. Para escribirla se basó en numerosos informes escritos en lengua mexica sobre todos los aspectos de la vida indígena.

Fray Diego de Landa
(1524-1579)
Religioso franciscano y obispo de Yucatán, nació en Cifuentes, España, y murió en Mérida, Yucatán. A los 25 años llegó a la Nueva España. Instalado en Mérida, se dedicó a cristianizar a los mayas de la península yucateca. Desempeñó varios cargos, entre ellos el muy importante de obispo de Yucatán. Estimado por sus feligreses, ha sido criticado por los científicos sociales debido a que entregó al fuego algunos de los códices mayas. En compensación hizo una *Relación de las cosas de Yucatán*, que es una de las principales fuentes de conocimiento sobre los antiguos mayas y su cultura. Como obispo, Landa se enfrentó con decisión a los gobernadores y oficiales reales en defensa de los naturales.

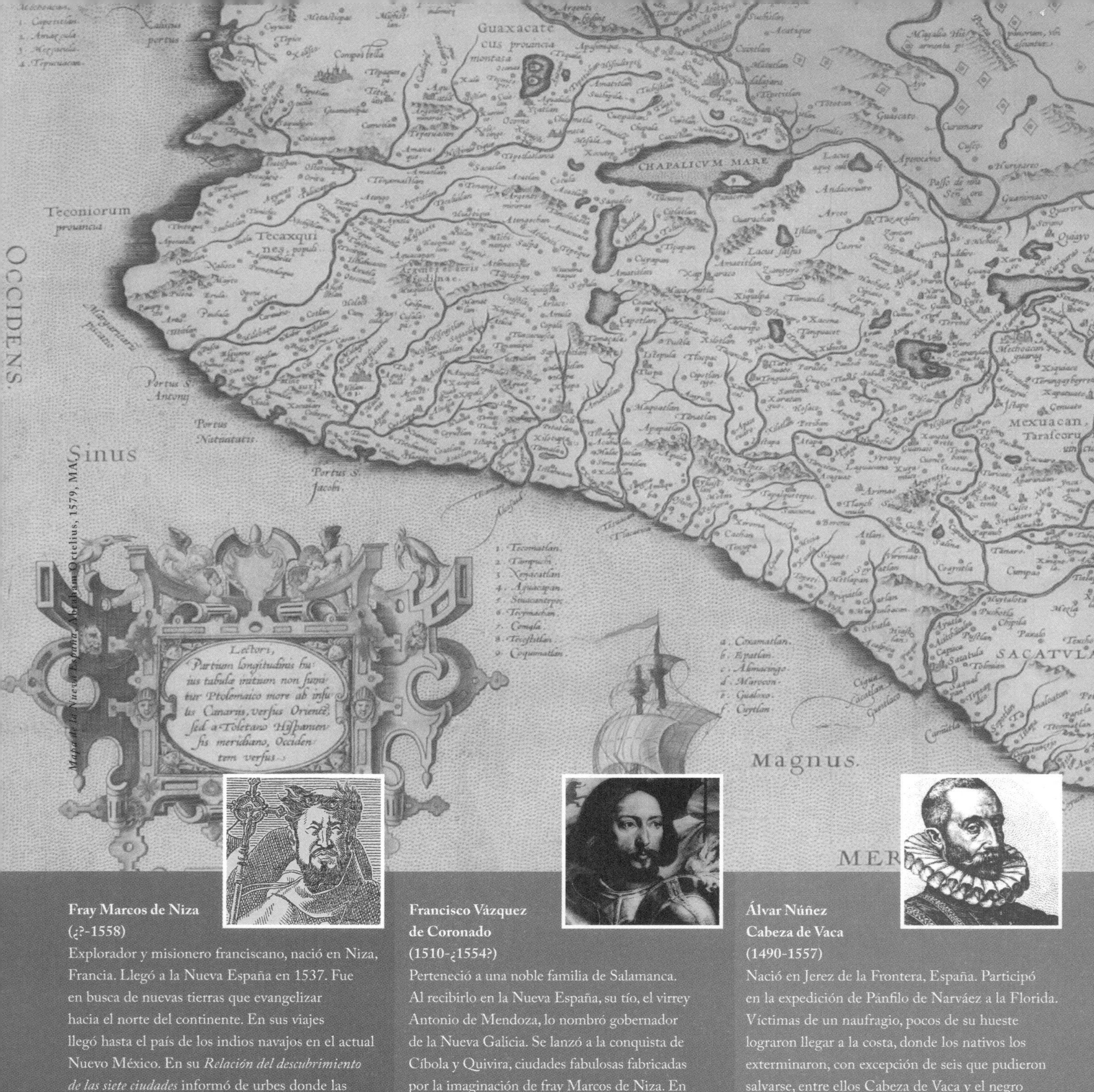

Mapa de la Nueva España, Abraham Ortelius, 1579, MA

Fray Marcos de Niza
(¿?-1558)

Explorador y misionero franciscano, nació en Niza, Francia. Llegó a la Nueva España en 1537. Fue en busca de nuevas tierras que evangelizar hacia el norte del continente. En sus viajes llegó hasta el país de los indios navajos en el actual Nuevo México. En su *Relación del descubrimiento de las siete ciudades* informó de urbes donde las casas, de grandes balcones dorados, relumbraban al sol, y su población era mayor que la de México-Tenochtitlan. Esta noticia impresionó al virrey de Mendoza y al gobernador Vázquez de Coronado, quien encabezó una expedición en busca de las fabulosas ciudades. Sólo encontró caseríos habitados por unos cuantos indígenas. En 1547 fray Marcos de Niza fue nombrado provincial de su orden. Murió en la ciudad de México.

Francisco Vázquez de Coronado
(1510-¿1554?)

Perteneció a una noble familia de Salamanca. Al recibirlo en la Nueva España, su tío, el virrey Antonio de Mendoza, lo nombró gobernador de la Nueva Galicia. Se lanzó a la conquista de Cíbola y Quivira, ciudades fabulosas fabricadas por la imaginación de fray Marcos de Niza. En Compostela organizó la expedición que lo llevó hasta Cíbola, en el actual estado de Nuevo México, donde no había más que soledad, viento y polvaredas. Atravesó las llanuras de Texas y Kansas hasta llegar a Oklahoma; ahí luchó contra los indios cazadores de bisontes. En México, luego de ser sometido a juicio de residencia, fue acusado de negligencia y obligado a pagar una suma cuantiosa. De vuelta en Compostela como gobernador, sometió a los indios sublevados. Por último regresó a la ciudad de México, donde murió a la edad de 44 años.

Álvar Núñez Cabeza de Vaca
(1490-1557)

Nació en Jerez de la Frontera, España. Participó en la expedición de Pánfilo de Narváez a la Florida. Víctimas de un naufragio, pocos de su hueste lograron llegar a la costa, donde los nativos los exterminaron, con excepción de seis que pudieron salvarse, entre ellos Cabeza de Vaca y el negro Estebanico. En compañía de éste, cruzó el río Misisipi y se internó en las praderas. Recorrió lo que actualmente se conoce como Texas, Nuevo México y Arizona hasta llegar a Sonora y Sinaloa, donde lo acogió gente de Nuño de Guzmán. Nueve años le llevó hacer este viaje, durante el cual actuó como curandero entre las tribus indígenas de Norteamérica. De vuelta en México, Cabeza de Vaca fue designado gobernador de Río de la Plata. Poco después fue condenado al exilio en África, pero la pena no se aplicó. Murió en Sevilla.

La expansión de la Nueva España

Después de la caída de México-Tenochtitlan, los capitanes de Cortés se dedicaron a conquistar tierras más apartadas. Ocuparon gran parte del territorio de Mesoamérica, desde Honduras hasta Nayarit. Conquistadores como Pedro de Alvarado, Diego de Mazariegos y Cristóbal de Olid se dirigieron hacia las tierras de Centroamérica; otros, como Nuño de Guzmán y Alonso de Ávalos, tomaron la ruta del occidente, y los menos, la ruta del norte. De las hazañas de los segundos surgirían el reino de la Nueva Galicia, el Nuevo Reino de León, la Nueva Vizcaya y el Nuevo Santander, regiones bautizadas con los nombres de la vieja España. El hallazgo de ricas minas de plata en Guanajuato y Zacatecas provocó un éxodo de colonos españoles e indígenas en busca de fortuna hacia el norte de México. Alucinados por la fiebre del oro, audaces exploradores se aventuraron hasta los estados de California, Colorado y Oklahoma, en el actual territorio de los Estados Unidos, donde decían haber hallado ciudades doradas en medio del desierto. Las tribus nómadas de las zonas áridas causaron constantes perjuicios a los colonos pues asaltaban los caminos que comunicaban los pueblos principales y robaban el ganado de las estancias. Para someterlas se enviaron soldados y se crearon fuertes, llamados presidios, en los que podían refugiarse los españoles. La campaña de pacificación del norte, conocida como la guerra chichimeca, duró más de cincuenta años y en ella colaboraron indios tlaxcaltecas, otomíes y aztecas. En esta contienda los conquistados se volvieron conquistadores, incluso algunos indígenas adquirieron tierras y títulos de nobleza.

Cristóbal de Olid
(1488-1525)
Conquistador y explorador español, nació en Baeza o en Linares, Jaén. A los 30 años participó, junto con Diego Velázquez, en la conquista de Cuba. Se le encomendó la búsqueda de Juan de Grijalva, y meses después acompañó a Hernán Cortés en la conquista de México. Enviado a Michoacán, tomó posesión de esas tierras en nombre del rey de España. En 1522 salió rumbo a Colima para ayudar a Ávalos, quien había sido derrotado por los indios. En las Hibueras (hoy Honduras) desconoció la autoridad de Hernán Cortés, haciéndose llamar gobernador de esa región. Éste salió en su busca y por poco perece con su ejército en las selvas y pantanos del área maya. Cuando Cortés llegó a Honduras, ya los españoles de Naco habían capturado y ajusticiado a Cristóbal de Olid.

Andrés de Urdaneta
(1508-1568)
Navegante y religioso agustino, nació en la provincia de Guipúzcoa, España, y murió en México. Participó en la infortunada expedición de Loaysa y de Elcano en 1525. Habiendo sido soldado en las Molucas y capitán de navío, en 1536 se asoció a las empresas de conquista de Pedro de Alvarado. Muerto Alvarado, fue regidor de los pueblos de Ávalos. En 1553 se incorporó a la orden de san Agustín en México. Volvió a las actividades de descubrimiento y conquista por invitación de Felipe II y aportó sus conocimientos de navegante en la expedición que concluyó con la incorporación de Filipinas al imperio español. En 1565 realizó el tornaviaje de Asia a América que nadie había logrado hacer: fue a las Filipinas y regresó a la Nueva España por la costa de California.

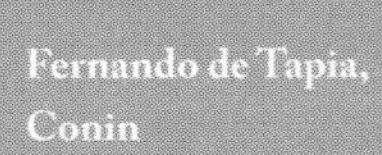

Sebastián Vizcaíno
No se saben las fechas de su nacimiento y muerte, ni el año en que de España vino a América; lo único cierto es que en 1596 el virrey conde de Monterrey le encomendó la misión de explorar las costas del Pacífico. Navegó las aguas del golfo de California y fundó La Paz, punto de partida de varias exploraciones en aquella tierra árida. Su misión concluyó en Acapulco, no sin antes descubrir un cabo que llamó de San Sebastián. Poco después zarpó hacia el norte al mando de cuatro navíos hasta encontrar una hermosa y amplia bahía que llamó de Monterrey, cerca de la actual ciudad de San Francisco en California. Decidió volver de nuevo a Acapulco, adonde llegó en 1603. Murió cuando organizaba otra expedición; para la posteridad quedaron sus cartas geográficas y la relación de sus viajes.

Fernando de Tapia, Conin
(¿?-1571)
Conin fue un poderoso cacique otomí que ayudó a los españoles en la lucha contra las tribus bárbaras. Antes de la conquista, era un mercader que comerciaba con los mexicas y las tribus chichimecas, a las cuales vendía sal e hilo de maguey a cambio de cueros de animales, arcos y flechas. Originario de Nopala, en el reino de Jilotepec, adoptó el nombre cristiano de Hernando o Fernando de Tapia. En 1531 obtuvo el permiso para fundar con indígenas chichimecas y otomíes la que después sería la ciudad de Querétaro. Su hijo Diego de Tapia heredó el gobierno de la ciudad y el título de capitán general. Fue un hombre rico, poseedor de tierras y minas. Ascendió a la nobleza novohispana; Felipe II le concedió un escudo de armas. Propició la construcción del convento de Santa Clara, donde su hija, Luisa de Tapia, fue la primera abadesa.

Códice de Tlatelolco (detalle), inicio para las nuevas obras de la Catedral de México, *ca.* 1565, INAH.

Luis de Velasco
(1511-1564)
Militar y funcionario público, nació en Carrión de los Condes, España. Luchó junto al emperador Carlos V en la guerra contra Francia; fue capitán general de las guardias de España y segundo virrey de este reino novohispano. De sus actos de gobierno destacan la abolición de la esclavitud de 200 mil americanos; el establecimiento de la Santa Hermandad contra los asaltantes y bandoleros de caminos reales; la guerra contra los grupos nómadas del norte; la apertura de la Universidad en 1553; el descubrimiento del método de patio o amalgamación que revolucionó la minería, principal industria del reino, y la fundación de Durango y otras ciudades del norte. Pese a las pestes e inundaciones que afligieron a los habitantes del virreinato durante su mandato, don Luis dejó muy buena fama. Después de 14 años de gobernar la Nueva España murió en esta tierra.

Martín Enríquez de Almanza
(¿?-1583)
Cuarto virrey de la Nueva España, nació y se formó en España. En 1568 hizo el viaje trasatlántico para sustituir al que fue por poco tiempo tercer virrey novohispano. Poco después de llegar envió soldados a detener a los huicholes, a quienes había dado por invadir las tierras contiguas a las suyas. Para la defensa contra los nómadas fundó varias poblaciones con el carácter de fuertes. Por orden suya, en la región del Bajío surgieron las ciudades de Zamora, Celaya y León. Hizo frente a la devastadora epidemia de 1567 y tomó parte en muchas obras encaminadas al desarrollo de la Nueva España: realizó costosos trabajos para evitar inundaciones, incorporó varias órdenes religiosas a la conquista espiritual de los indios y se preocupó por su educación y salud. En 1580 salió hacia el Perú para asumir el cargo de virrey.

Juan de Oñate
(¿1549?-1624)
Hijo del español Cristóbal de Oñate y de mexicana, nació en Zacatecas y murió en España. Descubrió los minerales de Xichú, Charcas y San Luis Potosí. Con permiso del virrey, organizó una expedición de 130 soldados, algunos frailes franciscanos, negros e indios y bastantes cabezas de ganado. Llegó a Paso del Norte, a orillas del río Bravo, y tomó posesión de todos los territorios de Nuevo México; en San Juan de los Caballeros estableció la capital de la provincia. Desde allí apaciguó a los indios rebeldes. Explorador incansable, llegó hasta la desembocadura del río Colorado en el golfo de California. El virrey envió a Pedro de Peralta para sustituir como gobernador al hijo de don Juan.

La sociedad novohispana del siglo XVI

El siglo XVI fue un periodo de bruscas y profundas transformaciones. En este siglo se colocaron los cimientos de la nación mexicana sobre las ruinas de los antiguos señoríos prehispánicos; en esta época clave las formas de organización y gobierno indígenas se utilizaron para establecer el nuevo dominio español. A lo largo de todo el siglo XVI los indígenas fueron la población mayoritaria, a pesar de la gran mortandad que causaron las epidemias. En los pueblos de indios, los caciques y nobles de antaño siguieron gobernando a sus comunidades. Los tributos que antes pagaban a los tlatoanis y sacerdotes aztecas, ahora eran para los encomenderos, el rey y la Iglesia. La forma de vida indígena siguió basándose en sus cultivos ancestrales, aunque la introducción de animales domésticos como el cerdo y las gallinas enriqueció un poco su dieta. A pesar de la protección de las leyes españolas y de los frailes, los indígenas llegaron a ser víctimas del abuso de alcaldes, regidores, estancieros, hacendados, encomenderos y mineros, ávidos de riquezas y poder. En las ciudades se concentraban los europeos dedicados al comercio y al gobierno de la Nueva España, incluida la corte del virrey, que era el representante de la Corona española en la Nueva España. Además de las autoridades indígenas y españolas, existía un tercer poder: la Iglesia. Frailes y clérigos enseñaban el dogma y la moral cristianos; regían en las fiestas y procesiones religiosas; organizaban la construcción de iglesias, conventos y capillas, y administraban los bienes de indígenas y españoles por medio de cajas de ahorro, así como el dinero de las cofradías dedicadas a algún santo.

Minas de Guanajuato
Descubiertas en 1552 por Juan de Jasso, sólo comenzaron a explotarse cinco años después, cuando se fundó ahí Guanajuato. En 1558 se localizó la Veta Madre, uno de los más grandes yacimientos de plata del Nuevo Mundo. Los hallazgos mineros, aunados al desarrollo de la técnica conocida como beneficio de patio o amalgamación, que hacía innecesaria la fundición de los minerales, provocaron un auge de la minería en la Nueva España: en las dos últimas décadas del siglo se produjeron 1,480 toneladas de plata. Guanajuato y Zacatecas se convirtieron en ciudades opulentas. Alrededor de ellas se establecieron estancias ganaderas que abastecían de carne a los mineros, y que eran constantemente asaltadas por bandidos chichimecas. Por eso se levantaron fortines entre estas ciudades y México; así, Ojuelos, León y San Miguel.

Fray Diego de Valadés (1533-¿1582?)
Fue hijo de un conquistador que llegó a la Nueva España con Pánfilo de Narváez y de una mujer de Tlaxcala. Tenía 17 años cuando entró en la orden franciscana; ahí tuvo como maestro a Pedro de Gante. Con él hizo grandes adelantos en la evangelización de los indios; Valadés dedicó a los chichimecas 30 años de su vida. Aprendió tarasco, otomí y náhuatl; en esta última lengua escribió un catecismo. En 1571 fue enviado a Francia; tres años más tarde publicó en Sevilla el *Itinerario del padre Focher*. Fue nombrado procurador de su orden y en Roma escribió, en latín, *Retórica cristiana*. Es el primer libro de un hombre nacido en nuestro territorio que se imprimió en Europa. En él relata las costumbres de los antiguos mexicanos y los métodos empleados por los religiosos para convertirlos a la fe cristiana.

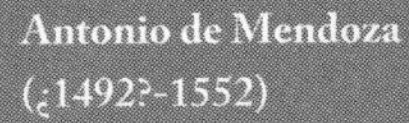

Antonio de Mendoza (¿1492?-1552)
Militar y funcionario público. Fue el primer virrey que gobernó la Nueva España después de los gobiernos de Hernán Cortés y otros conquistadores, de los jueces de residencia y de las primeras audiencias. Puso especial interés en el desarrollo de la economía, la sociedad y la cultura de la Nueva España. En sus 15 años de gobierno se adoptaron algunos cultivos europeos, se introdujeron nuevos métodos agrícolas, se fomentó la ganadería mayor y menor, y se inició la acuñación de moneda. Auspició la creación de colegios y escuelas para indios y españoles y la fundación de algunas ciudades. Con Zumárraga, introdujo la imprenta en México, la primera de toda América. Durante su gestión se exploró lo que hoy es el suroeste de los Estados Unidos, y se libró la guerra contra los indios caxcanes en la Nueva Galicia. Fue nombrado virrey del Perú, y allá murió.

San Felipe de Jesús (1590-1652)
Aventurero, religioso y santo, nació en la ciudad de México bajo el nombre de Felipe Casas Martínez. Muy joven ingresó en un convento franciscano de Puebla. Al salir, partió a las Filipinas, donde llevó una vida agitada, pero después se convirtió nuevamente en religioso de vida recoleta. En Manila ingresó en el convento de Santa María de los Ángeles. En 1596 se embarcó con rumbo a la Nueva España, destino al que nunca llegó, pues el navío en que viajaba fue arrojado por una tormenta a las costas de Japón. Yendo a la residencia del superior de los franciscanos, fue hecho prisionero y luego crucificado. Su muerte produjo gran conmoción en todo el mundo cristiano. Un papa lo beatificó; otro lo declaró santo. El primer presidente de México, Guadalupe Victoria, lo hizo llamar el "protomártir mexicano" y decretó que el día de su martirio, el 5 de febrero, fuera fiesta nacional.

Traslado de la imagen y estreno del Santuario de Guadalupe (detalle), Arellano, 1709, CP.

Catedral Metropolitana

La Catedral de la ciudad de México fue la mayor obra artística realizada por el gobierno colonial español en el Nuevo Mundo. Su construcción se inició por órdenes de Cortés poco después de la conquista, y se terminó meses antes del inicio de la guerra de Independencia, en 1810. Entre 1524 y 1532 se hizo un primer edificio sobre las ruinas del recinto ceremonial de Tenochtitlan, pero sólo hasta 1572 comenzó la construcción de una catedral más grande y suntuosa, según el proyecto de Claudio de Arciniega. En el siglo XVII se terminó el interior; ya entrado el siglo XVIII se fabricaron los retablos barrocos y el altar de los Reyes, realizado por Jerónimo de Balbás, así como el sagrario metropolitano. Sin embargo, en 1780 aún no estaban terminadas las torres. La obra fue concluida por Manuel Tolsá.

Juan Ruiz de Alarcón (¿1580?-1639)

Distinguido dramaturgo; nació en la Nueva España y murió en Madrid, España. Estudió leyes en México y en la Universidad de Salamanca, donde se graduó con brillante examen. En Sevilla obtuvo un puesto en el Consejo de Indias. Después de un breve viaje a México regresó a Europa para dedicarse al teatro. Jorobado de nacimiento, era criticado por su figura deforme y sus pretensiones de nobleza; en cambio, era admirado por sus comedias y obras teatrales, en las que enaltece los buenos sentimientos, la verdad y la amistad. Sus obras más famosas: *Las paredes oyen*, *La verdad sospechosa*, *El tejedor de Segovia*, *El examen de maridos*, *Los pechos privilegiados* y *Ganar amigos*, se han traducido a varios idiomas. Perteneció a la generación de dramaturgos del Siglo de Oro español.

Antonio Sebastián de Toledo (¿1625?-1715)

Marqués de Mancera, nació en La Habana; antes su padre había sido virrey del Perú. Fue el vigésimo quinto virrey de la Nueva España. En España fue embajador y mayordomo de la reina. Nombrado virrey por Felipe IV llegó a Nueva España en 1664. Amigo de las artes, recibió en su corte a Juana de Asbaje, mejor conocida como sor Juana Inés de la Cruz, e impulsó su desarrollo literario. Apoyó la construcción de la Catedral, y las obras de desagüe del valle de México para impedir las inundaciones que asolaban la capital. Reorganizó la armada para evitar que los piratas atacaran los puertos de la Nueva España. En 1673 dejó el gobierno virreinal y regresó al Viejo Mundo; su esposa murió en la travesía y fue enterrada en Tepeaca, Puebla. El virrey logró llegar a España, donde murió poco después.

La etapa barroca

Considerado por algunos investigadores como "el siglo olvidado", el siglo XVII fue una época de asentamiento económico y paz relativa. Los afanes de la conquista y la evangelización habían pasado, excepto en los desiertos del norte y en las zonas selváticas del sur del país. En el centro de México crecían las ciudades alimentadas con la plata de las minas, el comercio, el ganado de las estancias y el trabajo de los artesanos. En el campo, la población indígena, que se había reducido sin cesar a lo largo del siglo XVI, comenzó a recuperarse lentamente. Algunos de estos indígenas, que resentían la falta de medios de subsistencia, huyeron de sus comunidades hacia las ciudades y las estancias españolas. Sin arraigo, se emparentaron con gentes de otras razas y costumbres; el resultado de esta mezcla fue un nuevo grupo racial conocido genéricamente como mestizo, que no era ni español ni indígena, sino mexicano. Sin tierras ni riquezas, los mestizos tuvieron que ingeniárselas para vivir. Algunos se emplearon como peones, capataces o arrieros, otros como artesanos, comerciantes o albañiles, y algunos más se dedicaron a la mendicidad y el bandidaje. El mestizaje fue biológico y cultural. Las ideas prehispánicas, europeas y africanas se fusionaron de tal modo que es difícil reconocer su origen. Aun dentro de la misma Iglesia católica penetraron algunas costumbres indígenas. De las mentes de los arquitectos y las manos de los artesanos surgió un nuevo estilo: el barroco novohispano. La profunda religiosidad de la época se expresaba en los templos, capillas y conventos dispersos por todo México, en la riqueza decorativa de sus fachadas y la suntuosidad de sus retablos y altares.

Virgen de Guadalupe
A la conquista militar de México-Tenochtitlan, siguió la conquista espiritual de sus pobladores. La fe cristiana, rápidamente asimilada por los indígenas, se fortaleció cuando la Virgen de Guadalupe se apareció en el cerro del Tepeyac, según el relato del indio Juan Diego. Como prueba, Juan Diego presentó al obispo fray Juan de Zumárraga la imagen de la Virgen impresa en un ayate de tela burda. Esto ocurrió en 1531. Vista con escepticismo por los primeros misioneros, la imagen se hizo popular entre indígenas y mestizos; su fama creció en el siglo XVII cuando se pidió su intercesión para evitar las pestes e inundaciones que asolaban la capital. Nombrada Patrona de la ciudad de México, se convirtió en el primer símbolo de la nación mexicana. Después del grito de Dolores, Miguel Hidalgo utilizó su estandarte como emblema de la Independencia.

Carlos de Sigüenza y Góngora (1645-1700)
Poeta, matemático, historiador y geógrafo, nació en la ciudad de México. Entró por breve tiempo en la Compañía de Jesús. Fue catedrático de astrología y matemáticas en la Universidad de México y capellán del Hospital del Amor de Dios. Durante un motín popular salvó de las llamas el archivo municipal y valiosas pinturas. A Sigüenza se le considera el sabio más ilustre del periodo barroco. De sus obras literarias destacan su *Primavera indiana*, que habla sobre la Virgen de Guadalupe, y el *Triunfo parténico*, descripción de los certámenes literarios de la época; el *Teatro de las virtudes políticas* y *Los infortunios de Alonso Ramírez*, una relación de viajes. Además de varias obras históricas hoy perdidas, escribió un libro sobre la aparición de un cometa y sus consecuencias en el hombre. Hizo varios mapas de la Nueva España.

Juan de Palafox y Mendoza (1600-1659)
Nació en Navarra, España. Estudió en las más famosas y prestigiadas universidades de la península: Alcalá de Henares y Salamanca. Fue diputado de la nobleza, fiscal de los consejos de Guerra e Indias; como sacerdote llegó a ser capellán de María de Austria. El rey lo propuso para obispo de Puebla, y como tal fue consagrado en Madrid en 1639. Enjuició al virrey marqués de Villena, a quien se acusaba de infidelidad. Lo encontró culpable, remató sus bienes y lo recluyó en el convento de Churubusco antes de enviarlo a España. Poco después asumió el gobierno de la Nueva España. En 1643 fue nombrado arzobispo de México. Fundó los famosos colegios de San Pedro y San Pablo, y en este último estableció la Biblioteca Palafoxiana. En su tiempo se redoblaron los esfuerzos por terminar las obras de la Catedral, que él consagró en 1649. Fue llamado a España debido al conflicto que protagonizó contra los jesuitas en Puebla; allá murió.

Sor Juana Inés de la Cruz (1651-1695)
Nació en San Miguel Nepantla, hacienda cercana a Ozumba, y murió en la ciudad de México. Aprendió a leer a los tres años y a los ocho estudiaba latín. Muy joven llegó a ser dama de honor de la marquesa de Mancera, esposa del virrey; para entonces era famosa por su talento, sabiduría y belleza. A pesar de los atractivos de la corte tomó el hábito de las monjas jerónimas, en cuyo convento se dedicó a escribir, y a estudiar ciencias, literatura, música, matemáticas y astronomía. El obispo de Puebla le aconsejó que dejara las letras y se dedicara a la vida religiosa. Sor Juana le contestó dándole razones y motivos de su actividad. Finalmente regaló sus libros y se dedicó a la oración. Sor Juana escribió numerosos poemas, romances, comedias, obras religiosas, cánticos y cartas ahora publicadas.

El Almacén, Miguel Jerónimo Zendejas, 1797, CIMNH.

Eusebio Francisco Kino
(1645-1711)
Misionero y científico jesuita. Nació en Segno, Italia, murió en la misión de Magdalena. Estudió en la Universidad de Friburgo y en 1665 ingresó en la Compañía de Jesús. Su preparación incluyó estudios de teología, matemáticas, geografía, cosmografía y filosofía. De espíritu curioso y aventurero, se incorporó a las misiones de la Nueva España en 1681. Permaneció dos años en la ciudad de México y formó parte de la expedición de Atondo, que exploró y colonizó tierras en el norte del país. Fundó misiones en la Pimería Alta (norte de Sonora y sur de Arizona), donde pacificó a los indígenas e introdujo la ganadería y la apicultura. En sus más de cuarenta viajes realizó valiosas descripciones de la geografía, botánica y costumbres de los indígenas del norte. Descubrió el paso hacia la península de Baja California.

José de la Borda
(1699-1778)
Hacendado y minero de origen francés, considerado el hombre más rico de la Nueva España durante el siglo XVIII. Llegó a tierras mexicanas a la edad de 16 años; a los 20 se mudó a Taxco, donde se dedicó a la minería. Se asoció con Manuel Aldaco en Tlalpujahua y juntos obtuvieron cuantiosas ganancias. En Taxco encontró la famosa Veta de San Ignacio, que le produjo una bonanza de nueve años. Con el dinero obtenido construyó la iglesia de Santa Prisca, uno de los templos más suntuosos de la Nueva España. Después del auge minero en Taxco, se vio en problemas económicos y marchó a Zacatecas, donde descubrió la Veta Grande, un enorme filón de plata con el que recuperó su antigua riqueza. Más tarde se retiró a Cuernavaca, sitio en el que su hijo Manuel de la Borda, heredero de parte de su fortuna, construyó el famoso Jardín Borda.

Antonio María de Bucareli
(1717-1779)
Virrey número 46 de la Nueva España. Nació en Sevilla, España. Teniente general de los ejércitos reales y gobernador de La Habana, gobernó en México de 1771 a 1779. Durante su mandato impulsó el comercio y aumentó la renta pública. Preocupado por la seguridad del virreinato, terminó la construcción de la fortaleza de Perote y reparó la de Acapulco; combatió a las gavillas de bandoleros que asolaban los caminos. Se enfrentó a un gran levantamiento de tribus pimas y apaches en el norte del país e incluso tuvo que combatir una terrible plaga de langostas. Buen administrador, perfeccionó la acuñación de moneda y levantó la Casa de Moneda, los edificios de la Aduana y los de la Acordada. Abrió un hospicio de pobres, mejoró el Hospital de San Hipólito y creó el paseo que lleva su nombre.

El siglo de las luces

En los inicios del siglo XVIII la sociedad colonial parecía haberse estancado. En las cortes novohispanas privaba el derroche, la superficialidad y la corrupción; títulos nobiliarios y puestos de gobierno se compraban y utilizaban para el enriquecimiento personal. La economía crecía con lentitud y el número de pobres con rapidez; las hambrunas, los abusos de caciques, los tributos impuestos a los pueblos llenaban las calles de las ciudades de mendigos y vagabundos, y los campos de bandoleros. La nueva dinastía de los Borbones, que sustituyó a los Austria a principios del siglo, comenzó a modificar a fondo el gobierno virreinal. Bajo los postulados del despotismo ilustrado, que proponía un gobierno para el beneficio del pueblo pero sin su participación, aumentaron la influencia y el poder del rey en las colonias. Surgió el Tribunal de la Acordada para perseguir y capturar bandidos. Desaparecieron las encomiendas. Se creó un sistema fiscal autónomo del gobierno virreinal. Se logró la emisión única de moneda y fue liberalizado el comercio. Se creó el primer ejército formal de la Nueva España. En las nuevas secretarías y despachos los funcionarios públicos enviados desde Europa reemplazaban a la naciente aristocracia criolla. Las reformas borbónicas provocaron un nuevo auge en las colonias. La minería y el comercio se desarrollaron rápidamente y con ellas aumentaron los ingresos de la Corona española y el gobierno virreinal. Gracias a la nueva riqueza se edificaron suntuosos templos y grandes palacios, se construyeron caminos, puentes y obras públicas, y se financió de nuevo la colonización y evangelización del norte del país. Florecieron las artes y las ciencias, y se difundieron las nuevas ideas liberales de pensadores europeos como Newton, Descartes y Voltaire.

Juan Vicente Güemes Pacheco
(1738-1799)

Segundo conde de Revillagigedo, nació en La Habana y falleció en Madrid. Virrey número 52 de la Nueva España, a la que gobernó durante cinco años. A escasos ocho días de haber asumido su mandato, condenó a muerte a los asesinos de un acaudalado mercader de la Nueva España; su proceder le ganó la fama de justo. Modificó la administración pública y transformó intendencias y tribunales, lo que permitió un manejo más eficiente de los recursos de la colonia. Fundó varias escuelas, entre ellas el Real Colegio de Minería; la ciudad de México se remozó y se levantaron nuevos edificios. El ayuntamiento de la ciudad le formó un juicio de residencia, pero sus acusadores fueron obligados a pagar los gastos del mismo al demostrarse la inocencia del virrey.

Diego José Abad
(1727-1779)

Filósofo, poeta y sacerdote jesuita. Nació en una hacienda cercana a Jiquilpan, Michoacán. Se dedicó a la educación en los seminarios de México, Zacatecas, Querétaro y Puebla, donde dio clases de derecho canónico y civil, retórica y filosofía. Expulsado de México en 1767 junto con todos los jesuitas, viajó a Bolonia, Italia, donde murió doce años después. Su vocación literaria es reconocida por el poema latino *De Deo, Deoque homine heroica*, y sus *Cantos épicos a la divinidad y humanidad de Dios*, poemas escritos en un estilo riguroso y brillante. También escribió obras para los seminarios, como el *Cursus philosophicus*, con el que se renovó la enseñanza de la filosofía en la Nueva España, además de un compendio de álgebra y obras de geografía y matemáticas.

Manuel Tolsá
(1757-1816)

Destacado arquitecto y escultor de origen catalán; nació en Enguera, España. Realizó sus estudios en Valencia y Madrid. En 1790 fue nombrado director de escultura de la Academia de Artes de San Carlos en México. A su llegada a México se le encargó la conclusión de las obras de la Catedral Metropolitana; terminó la fachada principal y él mismo esculpió las esculturas que representan la fe, la esperanza y la caridad. Revisó las obras de desagüe de la ciudad de México y realizó varias esculturas en bronce, como el busto de Hernán Cortés colocado sobre su tumba y la estatua ecuestre de Carlos IV, conocida como *El caballito*. Elaboró también los planos del Colegio de Minería y del Hospicio Cabañas. Lo mismo fabricó altares y muebles religiosos que cañones y carretas.

Andrés Manuel del Río
(1764-1849)

Geólogo, mineralogista, químico y físico distinguido. Nació en España. Muy joven se graduó de bachiller en la Universidad de Alcalá de Henares. Fue becado para estudiar en la Real Academia de Almadén; también hizo estudios en Alemania, Inglaterra y Francia. Al iniciarse la Revolución francesa huyó a España y de ahí pasó a Veracruz. Durante el régimen virreinal se le nombró catedrático de minerología en el recién estrenado Colegio de Minería. Fue el primer productor de hierro forjado de alta calidad en México. Sus trabajos en las minas de Zimapán le permitieron descubrir un nuevo elemento al que llamó eritronio, hoy conocido como vanadio. Consumada la Independencia fue expulsado del país junto con muchos otros españoles. Regresó a México en 1835 y permaneció aquí hasta su muerte.

Francisco Eduardo Tresguerras
(1749-1833)

Escultor y arquitecto guanajuatense. Nació en Celaya. Todavía joven se trasladó a la ciudad de México, donde asistió irregularmente a la Academia de San Carlos. De regreso en su tierra natal trabajó como escultor, grabador y pintor. Más tarde obtuvo licencia para trabajar como arquitecto. Seguidor del estilo neoclásico, construyó en 1707 la famosa fuente de Neptuno en la ciudad de Querétaro. Durante más de cinco años llevó a cabo los trabajos de la iglesia del Carmen en Celaya, donde edificó la capilla para su sepulcro dentro del templo de San Francisco, y el puente sobre el río de la Laja. En la ciudad de Guanajuato construyó el palacio del conde de Casa Rul. Algunas de sus obras pueden verse todavía en Salvatierra, Irapuato, Salamanca, San Luis Potosí y San Miguel Allende. Además de sus edificios y esculturas se conservan varias pinturas al óleo.

Juan Antonio Riaño y Bárcena
(1757-1810)

Militar e intendente de la ciudad de Guanajuato. Nació en Santander, estudió las artes de la marinería y obtuvo el grado de capitán de fragata. Ya en la Nueva España fue nombrado corregidor y comandante de las minas de Guanajuato. Se le considera el más culto de los intendentes de la Nueva España. Amigo de la literatura y las artes, alentó la obra de Eduardo Tresguerras y la construcción de bellos edificios en el Bajío y en su ciudad, donde hizo construir la Alhóndiga, una bodega para guardar granos. Permitió el cultivo del olivo y la vid. Bajo su administración prosperó el trabajo en las minas y, con la protección brindada a los maestros, la educación de los guanajuatenses. Al estallar la guerra de Independencia, se atrincheró en la Alhóndiga de Granaditas, donde murió por defender a su ciudad de las huestes de Hidalgo.

Alejandro de Humboldt
(1769-1859)

Científico y explorador alemán. Hijo de una noble y acaudalada familia, estudió en Alemania y Francia, donde se relacionó con los científicos más brillantes de su época. Realizó varios viajes con propósitos geográficos en Europa. Amigo del astrónomo Laplace y del biólogo Bonpland, emprendió con este último una gran expedición para conocer los territorios españoles en América. Descubrió la unión de los ríos Amazonas y Orinoco. En 1803 llegó a la Nueva España, cuyo territorio recorrió extensamente. Así escribió el *Ensayo político sobre el reino de la Nueva España*, en el que trata todos los aspectos geográficos, demográficos y económicos del virreinato, así como la situación política de la colonia poco antes de la guerra de Independencia.

Antecedentes de la Independencia

Después de tres siglos de dominio español, en la Nueva España se había formado una nueva nación, distinta de la "madre patria" europea y aún más de los antiguos reinos indígenas. El virreinato más preciado de la Corona española disfrutaba de una riqueza económica nunca vista. Los suntuosos edificios de la época y los logros culturales alcanzados despertaron el orgullo nacionalista de los criollos. La palabra México aparecía en la pluma de notables escritores como Clavijero o Eguiara y Eguren, y con el tiempo iría suplantando el nombre oficial del virreinato. Seis millones de personas coexistían al final de la época colonial, la gran mayoría indígenas y mestizos gobernados por una minoría blanca compuesta por dos grupos: los criollos y los españoles peninsulares. Los criollos ya sobrepasaban en número a los españoles y resentían la exclusión que se hacía de ellos a la hora de otorgar títulos y cargos públicos. En un principio los criollos pedían una mayor injerencia en los asuntos de la Nueva España, pero la independencia de las colonias inglesas de Norteamérica y la invasión napoleónica a España aceleraron los acontecimientos. En 1808, ante la situación de la metrópoli española, el virrey Iturrigaray trató de constituir una junta de gobierno, presidida por él mismo, que tomara las decisiones del gobierno virreinal. Al conocer la medida, algunos españoles asaltaron el palacio, capturaron al virrey e instauraron un régimen leal a España. Sin embargo, la idea de la autonomía se extendió por muchos sectores de la colonia. Un año más tarde, en Valladolid, se preparaba una conjura para lograr la independencia total de México.

Francisco Xavier Clavijero (1731-1787)

Sabio y sacerdote jesuita. Nació en Veracruz y murió en Bolonia, Italia. Estudió matemáticas, botánica, teología y filosofía. Aprendió numerosas lenguas, como griego, latín, hebreo, italiano, francés, náhuatl y otomí. Dio clases de filosofía moderna en los colegios de Valladolid y Guadalajara. Junto con los demás miembros de la Compañía de Jesús fue expulsado de la Nueva España. Exiliado en Italia escribió su magna obra, *Historia antigua de México*, sobre las costumbres, la religión, la cultura y la organización social de los antiguos reinos indígenas, a los que compara con las civilizaciones paganas de Roma y Grecia. Escribió además una *Historia de la Baja California* y varios escritos en los que defiende las antiguas culturas americanas.

José de Iturrigaray (1742-1815)

Militar y político español, fue el virrey número 56 de la Nueva España. Nació en Cádiz. Tomó parte en las campañas de Portugal y Gibraltar; fue nombrado mariscal de campo. Llegó como virrey en el año de 1803. Durante su mandato se develó la estatua de Carlos IV esculpida por Tolsá, se reorganizó el ejército colonial y se establecieron los primeros cantones militares. En esa época se recibieron las célebres visitas del barón de Humboldt y del doctor Balmis, quien aplicó por primera vez la vacuna contra la viruela en México. En 1808, al ser invadida España por las tropas de Napoleón, el virrey trató de formar una junta de gobierno autónoma mientras se restablecía la monarquía en su país. Los comerciantes españoles acaudillados por Gabriel del Yermo aprehendieron al virrey, lo destituyeron y lo enviaron a España, donde tuvo que enfrentar un juicio por peculado.

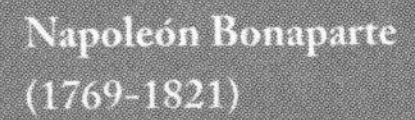

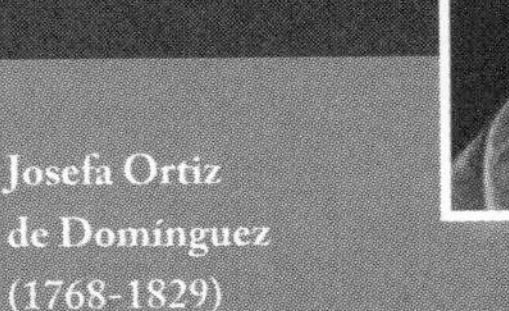

Napoleón Bonaparte (1769-1821)

Brillante militar y emperador de los franceses de origen corso. Destacó en la Revolución francesa al romper el sitio impuesto por los ingleses al puerto de Tolón. Se hizo del poder en Francia y emprendió dos campañas militares en Italia y Egipto. En 1804 se coronó emperador y organizó un gran ejército para conquistar Europa. Derrotó a los austriacos en Austerlitz, a los prusianos en Jena y a los rusos en Friedland. Tratando de aislar a Inglaterra, invadió España en 1808, donde colocó a su hermano José como gobernante tras derrocar al rey Fernando VII. Conmocionadas por la invasión, las colonias propusieron su autonomía. En la península, la derrota terminó con el poder absoluto del monarca español, quien años después hubo de aceptar una constitución que limitaba sus atribuciones.

Josefa Ortiz de Domínguez (1768-1829)

Esposa de Miguel Domínguez, corregidor de Querétaro. Hija del capitán vizcaíno José María Ortiz y de Manuela Girón. Nació en Valladolid, hoy Morelia. Al morir sus padres recibió asilo en el Colegio de las Vizcaínas, donde aprendió las primeras letras y diversas artes manuales. Ahí conoció a su futuro esposo, que después sería corregidor. Mujer enérgica y decidida, simpatizaba con las ideas independentistas de los criollos. Hizo amistad con Allende y Aldama, quienes conspiraban en contra del gobierno colonial. Organizó en su casa reuniones de los insurgentes, e incluso guardó armas y escritos confidenciales. Cuando la conspiración fue descubierta, su esposo la encerró en su habitación, pero ella logró avisarle a Allende y a Aldama. Por su participación en la conjura fue recluida en un convento.

Batalla del Monte de las Cruces, 1886. BNM.

Ignacio Allende
(1769-1811)

Militar y caudillo insurgente. Hijo de españoles ricos, nació en San Miguel el Grande. Ingresó en el ejército realista. Años más tarde se unió a la conspiración de Querétaro y alentó a Hidalgo a participar en ella. Con Hidalgo tomó Celaya y Guanajuato; derrotó a los realistas en el monte de las Cruces, donde se opuso a la decisión de Hidalgo de no tomar la ciudad de México. Luego de la derrota de Aculco, organizó la defensa de Guanajuato. Al vencerlo Calleja, marchó hacia Guadalajara. Participó en la decisiva batalla de Puente de Calderón, donde el ejército insurgente sufrió una derrota. Asumiendo el mando de las tropas sobrevivientes, se retiró hacia Zacatecas y ordenó marchar a Saltillo. Cayó prisionero en Acatita de Baján. Lo fusilaron junto con Aldama, Jiménez y Santamaría.

Juan Aldama
(1774-1811)

Militar insurgente, nació en San Miguel el Grande, Guanajuato. Llegó a ser capitán del regimiento de la reina. Conspirador desde 1809, marchó a Dolores para prevenir a Hidalgo y Allende al descubrirse la conjura. Fue nombrado mariscal en Celaya y acompañó a Hidalgo en el monte de las Cruces. Junto a Ignacio Allende, defendió la ciudad de Guanajuato y participó en la batalla de Puente de Calderón. Huyó hacia la frontera, pero lo sorprendieron en Acatita de Baján. Fue juzgado en Chihuahua y fusilado. Su hermano Ignacio también tomó parte en la conspiración y el día del levantamiento se unió a los insurgentes. Obtuvo el mando de San Miguel el Grande y se le encomendó viajar a Estados Unidos. Murió fusilado en Monclova, Coahuila.

Juan Ruiz de Apodaca
(1754-1835)

Virrey número 61 de la Nueva España. Ocupó el puesto en 1816 a la salida de Calleja y emprendió la pacificación de las fuerzas insurgentes, entonces reducidas a guerrillas. Propuso el indulto a los alzados que depusieran las armas, capturó a Nicolás Bravo y se enfrentó a la expedición de Xavier Mina, quien fue derrotado en el rancho del Venadito, acción por la que obtuvo el título de conde del Venadito. Partidario de Fernando VII y del absolutismo, trató de impedir la aplicación de la Constitución de Cádiz en la Nueva España. Nombró a Iturbide general del Ejército del Sur con el encargo de combatir a Guerrero. Sin embargo, Iturbide unió sus fuerzas a las de Guerrero; Apodaca trató entonces de defender la ciudad de México, pero fue depuesto por la misma guarnición a su mando. Abdicó el 5 de julio de 1821 y partió a España.

La revolución de Independencia

En Valladolid, San Miguel el Grande, Dolores y Querétaro, grupos criollos planeaban levantarse en armas para lograr la independencia de México. El movimiento era apoyado por personajes importantes, como los capitanes Ignacio Allende y Juan Aldama, el cura Miguel Hidalgo, el corregidor Miguel Domínguez y su esposa Josefa Ortiz. Al descubrirse el plan, Allende e Hidalgo adelantaron la fecha prevista para el levantamiento. En la madrugada del 16 de septiembre de 1810 Hidalgo llamó a las armas en el pueblo de Dolores; días después tomó las ciudades de Celaya, Guanajuato y Valladolid, y se dirigió hacia la capital del virreinato. Las fuerzas de Hidalgo derrotaron al ejército realista en el monte de las Cruces, mas no avanzaron hacia la ciudad de México pues temían ser cercados. Los insurgentes se retiraron hacia el Bajío, pero fueron alcanzados y derrotados en Aculco. Poco después perdieron las ciudades de Guanajuato y Valladolid y se replegaron hacia Guadalajara. Derrotados nuevamente por Calleja, los jefes del ejército insurgente se dirigieron al norte; a los nueve meses de haberse levantado, Hidalgo, Allende, Aldama y Jiménez fueron capturados y ejecutados. A pesar de la muerte de los primeros caudillos, el movimiento insurgente aumentó. En el sur, Morelos y sus lugartenientes dominaban la región de Tierra Caliente. Sitiados por varios meses en Cuautla, lograron evadir el cerco y tomaron las ciudades de Oaxaca, Tehuacán y el puerto de Acapulco. En 1813 Morelos convocó a un congreso en Chilpancingo; en él se declaró a México República independiente y la igualdad de derechos para todos los mexicanos. Félix Calleja, el nuevo virrey, lanzó en ese año una gran ofensiva en contra de los insurgentes, quienes, derrotados en varios frentes, se refugiaron en Apatzingán. Allí decretaron la primera Constitución del país. En 1815 Morelos fue capturado y fusilado en San Cristóbal Ecatepec.

Miguel Hidalgo y Costilla (1753-1811)

Sacerdote y caudillo insurgente. Nació en la hacienda de Corralejo, en el entonces obispado de Michoacán. Estudió en el Colegio de San Nicolás, en Valladolid, donde se ordenó como sacerdote en 1778. Sirvió en varios curatos del Bajío y como párroco del pueblo de Dolores participó en la conspiración de Querétaro. Descubierta la conjura, Hidalgo se levantó en armas la madrugada del 16 de septiembre de 1810, tomando como bandera una imagen de la Virgen de Guadalupe. Cinco días después fue nombrado capitán general de los insurgentes en Celaya. Seguido por miles de hombres tomó la ciudad de Guanajuato, antes de dirigirse a México y derrotar a las tropas de Torcuato Trujillo en el monte de las Cruces. Indeciso, se retiró hacia Querétaro, pero fue vencido en Aculco. En Guadalajara, ciudad donde decretó la abolición de la esclavitud, fue derrotado por las fuerzas de Calleja. Cayó preso en Acatita de Baján y poco después fue fusilado en Chihuahua. Se le considera el Padre de la Patria.

Francisco Xavier Mina (1789-1817)

Joven militar de ideas liberales. Nació en Navarra, España. Estudió la carrera de leyes. En 1808 combatió en contra de las tropas de Napoleón que habían invadido España. Huyó a Inglaterra y allí conoció a fray Servando Teresa de Mier, quien lo convenció de luchar en México en contra de Fernando VII. Desembarcó en abril de 1817 en Soto la Marina y se internó en el país con unos cuantos hombres. Derrotó a los realistas en la hacienda de Peotillos, el Arrastradero y la hacienda del Sombrero. Atacó la ciudad de León pero fue rechazado. Sitiado por las fuerzas del realista Liñán, logró escapar del cerco y tomar San Luis de la Paz. En un acto de audacia trató de atacar Guanajuato. Vencido en el rancho del Venadito, fue enjuiciado y fusilado. Fue declarado Héroe Liberal de México y España.

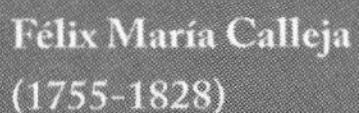

Félix María Calleja (1755-1828)

Militar y virrey. Nació en Medina del Campo, España. Llegó a la Nueva España como capitán al servicio del segundo conde de Revillagigedo. Al iniciarse la guerra de Independencia, era jefe de la brigada de San Luis Potosí, con la que formó el ejército del Centro, que llegó a contar con más de cuatro mil hombres. Derrotó a las fuerzas de Allende e Hidalgo en las batallas de Aculco, Guanajuato y Puente de Calderón. Enemigo acérrimo del movimiento de Independencia, persiguió constantemente a Morelos y logró sitiarlo en Cuautla. Más tarde, lo derrotó por completo. Nombrado virrey en 1813, organizó un enorme ejército, reorganizó la hacienda pública y restableció el tráfico de mercancías entre México y Veracruz. Una vez concluido su mandato regresó a España.

José María Morelos y Pavón (1765-1815)

Sacerdote y caudillo insurgente, nació en Valladolid. De joven se dedicó a la agricultura y la arriería. Estudió la carrera de sacerdote en el Colegio de San Nicolás y en el Seminario de Valladolid. Fue cura de Carácuaro y Nocupétaro en Michoacán. Al iniciarse el movimiento de Independencia, se puso a las órdenes de Hidalgo, quien le encargó levantar a la población del sur del país. A fines de 1811 ya ocupaba gran parte de las provincias de Michoacán, Oaxaca y Puebla. Bajo su mando combatieron Hermenegildo Galeana, Mariano Matamoros, los hermanos Bravo y Vicente Guerrero, todos ellos notables insurgentes. Sitiado en Cuautla, resistió varios meses antes de romper el cerco. Tomó el puerto de Acapulco y la ciudad de Oaxaca. En 1813 declaró en Chilpancingo la independencia de México. Derrotado por Iturbide en Valladolid, se replegó en Apatzingán, lugar donde se hizo llamar Siervo de la Nación. En 1815 fue hecho prisionero en Tezmalaca; murió fusilado en San Cristóbal Ecatepec.

Entrada del Ejército Trigarante

Agustín de Iturbide
(1783-1824)
Militar realista y emperador de México. Nació en la ciudad de Valladolid, donde ingresó en el ejército. Al iniciarse la guerra de Independencia combatió a los insurgentes en la batalla del monte de las Cruces. En 1813 derrotó a Morelos en Valladolid, lo que le dio fama. Formó parte de la conjura de la Profesa, que trataba de impedir la aplicación de la Constitución liberal de Cádiz en la Nueva España. El virrey Apodaca le encomendó combatir a Guerrero, pero Iturbide se alió a su antiguo rival y proclamó las tres garantías —independencia, religión y unión— en el Plan de Iguala. Entró triunfante en la capital el 27 de septiembre de 1821. Al año siguiente se proclamó emperador con el nombre de Agustín I. Se enemistó con el Congreso y las logias masónicas. Santa Anna encabezó una rebelión en su contra. Iturbide fue obligado a renunciar y, proscrito del país, se exilió en Italia. A su regreso fue fusilado en Padilla, Tamaulipas.

Juan de O'Donojú
(1762-1821)
Último virrey de la Nueva España; gobernó del 3 de agosto al 27 de septiembre de 1821, pero nunca ocupó el palacio virreinal. De ascendencia irlandesa, nació en Sevilla. Llegó a la Nueva España como capitán general de los ejércitos españoles. Tomó posesión como virrey en el puerto de Veracruz. Masón, de espíritu liberal y anticolonialista, se dio cuenta de que los insurgentes ocupaban casi todo el país y que la lucha de los realistas estaba perdida. En el camino hacia la ciudad de México, firmó con Iturbide los Tratados de Córdoba que reconocían la independencia de México. Entró en la capital del virreinato el 26 de septiembre y al día siguiente la entregó a Iturbide. Formó parte de la junta que elaboró el Acta de Independencia y fue miembro de la primera regencia de México.

Nicolás Bravo
(1786-1854)
Caudillo insurgente y político, nació en la ciudad de Chilpancingo. Se dedicaba a las actividades agrícolas hasta que se unió a la tropa de Hermenegildo Galeana en 1811. Apoyó a Morelos en el sitio de Cuautla y en muchas otras batallas. Aunque su padre fue fusilado, liberó a 300 prisioneros realistas en vez de vengarse con ellos. Después de la muerte de Morelos se retiró a su hacienda. Fue aprehendido en 1817 y liberado tres años después. Cuando radicaba en Cuernavaca se adhirió al Plan de Iguala. Ayudó a las tropas de Iturbide, pero más tarde se opuso a su coronación y se alió con Guerrero. Destronado, Iturbide le confió la seguridad de su persona hasta salir del país. Bravo se enemistó con Guerrero, fue capturado en Tulancingo y condenado al exilio en 1824. Regresó a México cinco años después. Varias veces ocupó la presidencia de la República; defendió el Castillo de Chapultepec de los invasores norteamericanos.

Consumación de la Independencia y primer imperio

Después de la muerte de Morelos, la insurgencia se disolvió en numerosas guerrillas rurales. El acoso de las tropas realistas y el indulto ofrecido por el virrey Apodaca lograron que algunos de los jefes insurgentes dejaran la lucha. Ignacio Rayón, Nicolás Bravo y Manuel Mier y Terán fueron capturados; Guadalupe Victoria desapareció en la selva veracruzana. Solamente en el sur del país la lucha se sostuvo por la voluntad de Vicente Guerrero. En 1820 el rey de España, Fernando VII, aceptó la Constitución de Cádiz, la cual limitaba su poder, consagraba la libertad de imprenta y los derechos del individuo. Los mismos peninsulares que habían combatido a los insurgentes se reunieron entonces en la iglesia de la Profesa, para lograr la independencia de México y así evitar que la nueva Constitución se implantara en la Nueva España. Dirigidos por el canónigo Matías de Monteagudo, el grupo de la Profesa logró que Apodaca nombrara a uno de sus miembros, Agustín de Iturbide, comandante del Ejército del Sur, con la consigna de acabar con Guerrero. En vez de combatirlo Iturbide lanzó el Plan de Iguala, que declaró a México país independiente, católico, hogar de peninsulares, criollos, indios y negros por igual. De la unión de las fuerzas de Guerrero e Iturbide surgió el Ejército Trigarante, que rápidamente se apoderó de la Nueva España. Apodaca fue destituido por su propia guarnición y regresó a España. El nuevo virrey, don Juan de O'Donojú, sólo llegó para firmar los Tratados de Córdoba por los cuales España reconocía la independencia. El 27 de septiembre de 1821 Iturbide entró en la ciudad de México y consumó así la independencia del país. Al año siguiente se proclamó emperador de México con el nombre de Agustín I, lo que provocó el enojo de los antiguos insurgentes, quienes se rebelaron contra él. El primer imperio terminó un año después con el exilio de Iturbide.

Vicente Guerrero
(1783-1831)
Caudillo insurgente y presidente de la República. Nació en Tixtla, en el actual estado de Guerrero. Agricultor y arriero mulato, se puso a las órdenes de Galeana en 1810. Por instrucciones de Morelos atacó Taxco y logró varias victorias sobre los realistas en el sur del país. Después de la captura y muerte de Morelos, Guerrero continuó la lucha. El virrey Apodaca trató de doblegarlo amenazándolo con la muerte de su padre, pero él se negó a deponer las armas. Para poner fin a la guerra, pactó con Iturbide y aceptó el Plan de Iguala en 1821. Guerrero reconoció a Iturbide como emperador, aunque después lo combatió. Se opuso a la rebelión de Bravo en contra de Guadalupe Victoria, a quien derrotó en Tulancingo. Por medio de un cuartelazo, desconoció al presidente electo y asumió la presidencia de la República en 1829. Expulsó a los españoles del país. Por órdenes del vicepresidente Bustamante, fue capturado y fusilado en Cuilapan.

Carlos María de Bustamante
(1774-1848)
Periodista y escritor insurgente, nació en Oaxaca. Cursó la carrera de filosofía en el seminario de su ciudad natal, estudió teología y leyes en la ciudad de México. En 1808 fundó el *Diario de México*, uno de los primeros periódicos del país. Tres años después se sumó a los independentistas, por lo que fue perseguido. Se refugió en Oaxaca; allí comenzó a redactar el *Correo Americano del Sur*, periódico que apoyaba a la causa insurgente. Participó en el Congreso de Chilpancingo. Aprehendido por los realistas, solicitó el indulto después de la muerte de Morelos. Pasó un tiempo en la cárcel de San Juan de Ulúa antes de ser liberado. Después de la Independencia se opuso al gobierno de Iturbide, quien lo encarceló de nuevo. Honesto y patriota, formó parte del Congreso Constituyente de 1824 como centralista. Escribió varias obras sobre la Independencia y los gobiernos de Anastasio Bustamante y Santa Anna.

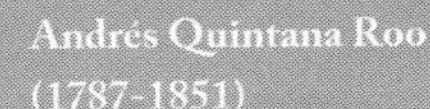

Andrés Quintana Roo
(1787-1851)
Periodista y escritor insurgente. Nació en la ciudad de Mérida, realizó estudios en el seminario de su ciudad natal y en la Universidad de México. Casado con Leona Vicario, simpatizó con la idea de la independencia, la que defendió en *El Ilustrador Americano* y el *Semanario Patriótico Americano*, dos de los periódicos publicados por él. En 1813 presidió el Congreso Constituyente, en el que se declaró formalmente la independencia de México. Después de la guerra Iturbide lo nombró secretario de Relaciones Exteriores. Hombre de criterio recto e independiente, se opuso a los designios del emperador, quien lo destituyó y enjuició. A la caída del primer imperio, se integró al Congreso. Más tarde acusó al gobierno de Bustamante por el asesinato de Guerrero. Santa Anna lo designó ministro de Justicia en 1833. Fue presidente de la Academia de Letrán en 1836.

Fray Servando Teresa de Mier
(1765-1827)
Sacerdote dominico e ideólogo de la Independencia. Nació en Monterrey. Estudió filosofía y teología en el Colegio de Porta Coeli de México. Debido a un discurso nacionalista sobre la Virgen de Guadalupe, fue desterrado a España en 1794. Perseguido en Europa, viajó a diversos lugares de Francia, Italia, Portugal y España. En Londres abogó a favor del movimiento insurgente y convenció a Javier Mina de realizar una expedición a México. Capturado al poner pie en Soto la Marina, fue procesado por la Inquisición. En 1820 se le envió a España, pero escapó y regresó a México al consumarse la Independencia. Durante el régimen de Iturbide se declaró republicano, lo que provocó su encierro en el convento de Santo Domingo. Diputado por Nuevo León, atacó la adopción del sistema federalista y formó parte del Congreso Constituyente de 1824. Su obra más conocida es *Historia de la revolución en la Nueva España*.

Battle of San Jacinto (Batalla de San Jacinto), Henry Arthur Mc Ardle, 1895, CSPBA.

Guadalupe Victoria
(1786-1843)

Nació en Tamazula, Durango, bajo el nombre de Miguel Fernández Félix. Estudió en el Colegio de San Ildefonso en la ciudad de México. En 1811 se unió al movimiento insurgente bajo el mando de Morelos. Con ánimo de honrar a la Virgen y de lograr el triunfo de la insurgencia, se hizo llamar Guadalupe Victoria. Junto a Morelos, participó en la toma de Oaxaca y luego operó en Puebla y Oaxaca. En 1821 se unió a Iturbide y al Plan de Iguala para consumar la independencia de México; dos años después se levantó contra él. Fue electo presidente para el periodo 1824-1829. Durante su mandato se recibieron los primeros préstamos extranjeros, venció una rebelión de grupos conservadores conocidos como los escoceses, emitió un decreto de abolición de la esclavitud y decretó la expulsión de españoles del territorio mexicano. Al terminar su gobierno se retiró a su hacienda en Veracruz.

Anastasio Bustamante
(1770-1853)

Nació en Jiquilpan, Michoacán. Estudió en el Seminario de Guadalajara y medicina en la ciudad de México. Se alistó en el ejército realista y combatió a los insurgentes. Se adhirió al Plan de Iguala siguiendo a Iturbide, quien le asignó varios cargos durante su imperio. En 1828 fue nombrado vicepresidente. Sin embargo, en 1830 tomó el poder por medio de una sublevación. En 1831 mandó asesinar al propio Guerrero, con lo que provocó una nueva rebelión que lo obligó a dejar la presidencia un año más tarde. En 1836, después de un exilio en Europa, fue llamado para atacar a los rebeldes texanos. En 1837, siendo ya conservador, fue nombrado presidente. Durante su régimen combatió una invasión francesa en Veracruz y numerosas rebeliones federalistas. En 1841 una revuelta lo obligó a salir de nuevo del país, adonde regresó en 1845. Llevó a cabo varias comisiones militares antes de morir.

Lucas Alamán
(1792-1853)

Político e historiador, nació en Guanajuato. Estudió química y mineralogía en el Real Seminario de Minería de la ciudad de México y sistemas de minería en Europa. En 1823 regresó a México y fue nombrado ministro de Relaciones Interiores y Exteriores. Organizó el Archivo General de la Nación y estableció el Museo de Antigüedades e Historia Natural. Ideólogo de los conservadores, volvió a ser ministro en el primer régimen de Anastasio Bustamante de 1831 a 1833. Fundó entonces el Banco de Avío y creó la fábrica de textiles La Constancia Mexicana. Fijó los límites territoriales con Estados Unidos. Fue ministro por tercera vez durante el último régimen de Santa Anna. Escribió su célebre *Historia de Méjico* y otras obras históricas en las que se mostró partidario de que en México pervivieran las tradiciones políticas, económicas y culturales.

EL MÉXICO DE SANTA ANNA

Tras el derrocamiento de Iturbide y la redacción de una constitución en 1824, México entró en una etapa de crisis que ningún gobernante ni grupo pudo resolver. Hasta 1854, dos bandos lucharon por el poder usando distintos nombres: yorkinos y escoceses, federalistas y centralistas, o liberales y conservadores. Las luchas entre ellos provocaron un caos político permanente en el país. Las elecciones no se respetaban y las rebeliones eran una forma más de acceder al poder. En sus tres primeras décadas de vida independiente México tuvo más de treinta cambios de presidente y tres constituciones, la de 1824, la de 1836 y la de 1843; los gobiernos gastaban casi todo su dinero en mantener al ejército, y sus energías en defenderse de sus enemigos. Con las continuas guerras muchas minas cerraron, la agricultura y el comercio se deterioraron y la industria no pudo crecer. La figura del general Antonio López de Santa Anna representa muy bien esta época. Debido a la falta de otro tipo de organizaciones, entre 1824 y 1829 las logias masónicas tomaron el papel de partidos políticos. Los yorkinos adoptaron las ideas liberales introducidas por el embajador de Estados Unidos, Joel R. Poinsett, mientras que los escoceses se inclinaban por mantener el orden heredado de la Colonia española. En 1833 Valentín Gómez Farías intentó poner en marcha reformas liberales. Entre 1835 y 1844 Santa Anna y Anastasio Bustamante ocuparon la presidencia de México en forma intermitente, sin abandonar su política centralista y conservadora. En 1844 un golpe militar de los liberales no pudo consolidarse ante una amenaza mayor para la nación mexicana: la invasión norteamericana de 1846-1848.

José María Luis Mora
(1794-1850)
Nació en Chamacuero, hoy Comonfort, Guanajuato. Ingresó en el Colegio de San Ildefonso en la ciudad de México y se ordenó sacerdote en 1829. De ideas liberales, escribió en 1821 un *Semanario Político y Literario a la Victoria del Ejército Trigarante*. Fue perseguido por oponerse al imperio de Iturbide. En 1823 fue diputado por el Estado de México al Congreso Constituyente. En 1827 obtuvo el título de abogado y se incorporó a las logias escocesas. Publicó el periódico *El Observador* e inspiró el amplio programa de reformas liberales emprendido por Valentín Gómez Farías entre 1833 y 1834. Cuando Gómez Farías cayó del poder, Mora se exilió en Francia. Allá publicó su libro *México y sus revoluciones*, una de las primeras visiones liberales de la historia de México. En 1847 fue nombrado ministro de México en Inglaterra, donde trató de conseguir ayuda en contra de la invasión norteamericana. Murió en París.

Valentín Gómez Farías
(1781-1858)
Nació en Guadalajara. Estudió medicina, fue profesor en la Universidad de Guadalajara y ejerció su profesión en Aguascalientes. En 1812 fue elegido diputado a las Cortes de Cádiz. Apoyó el Plan de Casa Mata en contra de Iturbide. Entre 1825 y 1830 fue senador por Jalisco y ministro de Hacienda en el gabinete de Manuel Gómez Pedraza. Ocupó el cargo de vicepresidente; entre 1833 y 1834 sustituyó a Santa Anna en la presidencia en cuatro ocasiones. Durante sus gobiernos, intentó apoyar firmemente la educación y atacar los privilegios de la Iglesia católica. Hizo frente a la oposición católica y a una epidemia de cólera. Santa Anna lo derribó del poder mediante una rebelión. Salió al exilio y volvió en 1847 para ser presidente por tres meses, sustituyendo de nuevo a Santa Anna. Fue derrotado como candidato a la presidencia en 1850. Con los liberales en el poder, presidió el Congreso Constituyente de 1857 el día de la jura solemne de la Constitución.

Joaquín Fernández de Lizardi
(1776-1827)
Periodista, nació en la ciudad de México. Estudió geología en la Real y Pontificia Universidad de México. Desde 1805 colaboró en el *Diario de México*. Fue perseguido y encarcelado por demostrar simpatía a los insurgentes siendo teniente de justicia en Taxco. En 1812 fundó el periódico *El Pensador Mexicano*, nombre que adoptó como seudónimo. Fue de nuevo hecho prisionero al escribir contra el virrey Venegas. Una vez liberado, se dedicó al periodismo y a escribir novelas y cuentos moralizantes, como *El Periquillo Sarniento*, *Noches tristes y día alegre*, *La Quijotita y su prima*. Se adhirió al Plan de Iguala y fue encargado de la imprenta del Ejército Trigarante. Al consumarse la independencia de México, siguió con sus actividades periodísticas, intentando despertar al público a los problemas políticos del país. Aunque originalmente apoyó al imperio de Iturbide, denunció sus arbitrariedades; se unió entonces a las logias yorkinas.

Antonio López de Santa Anna
(1794-1876)
Nació en Jalapa, Veracruz. Se alistó en el ejército realista y combatió a los insurgentes. Se unió al Plan de Iguala y tomó el puerto de Veracruz. En 1822 se levantó contra el imperio de Iturbide, que empezó a derrumbarse. Fue gobernador de Yucatán y comandante militar de ese estado y de Veracruz. Como yorkino, apoyó la candidatura de Guerrero a la presidencia. Por derrotar a una fuerza expedicionaria española que vino a reconquistar el país en 1829, fue nombrado Benemérito de la Patria. Entre 1833 y 1855 fue unas veces federalista y otras centralista; ocupó en 11 ocasiones la presidencia de México; participó en numerosas sublevaciones y asonadas. Se enfrentó a la rebelión texana, la intervención francesa de 1838 y la invasión norteamericana de 1846-1848. Amante de los gallos y las diversiones, en su momento fue considerado el único hombre capaz de salvar a México de la desintegración. En 1855 dejó la presidencia a los liberales y marchó al exilio. Regresó a México poco antes de morir.

The occupation of the capital of Mexico by the american army (Ocupación de la ciudad de México por el ejército estadounidense), Duval, 1847, YAS.

Stephen Austin
(1793-1836)
Nació en Austinville, Virginia, Estados Unidos. Aún joven emigró a Texas con varios cientos de colonos norteamericanos y desde 1821, al morir su padre, fue el jefe de este grupo. En Texas promovió la entrada de más y más colonos norteamericanos a esa provincia y sirvió de intermediario entre ellos y el gobierno mexicano. Entre 1824 y 1828 consiguió contratos y enormes terrenos para establecer a más de mil familias estadounidenses en Texas. Escribió varios libros e informes en los que instaba a que continuara la colonización. En 1835 viajó a la ciudad de México para llevar peticiones de los colonos al gobierno mexicano. Las autoridades militares lo encarcelaron, hecho que provocó la furia de los estadounidenses. Después de ser liberado, volvió a Texas para encabezar la rebelión de los colonos en contra de México, con el pretexto de que éste había adoptado el centralismo como forma de gobierno. Al triunfo de la revuelta, fue nombrado secretario de Gobierno de la República de Texas.

Lorenzo de Zavala
(1788-1836)
Nació en Tecoh, Yucatán. Estudió teología y se dedicó a la agricultura y al comercio. Fundó el primer periódico yucateco y fue encarcelado en 1814 por sus ideas políticas. En 1820 fue nombrado diputado a las Cortes de España y más tarde lo eligieron para el Congreso Constituyente de 1824, del cual fue presidente. Como federalista convencido, se afilió a las logias yorkinas. Ocupó el cargo de gobernador del Estado de México. En 1829 apoyó el golpe de Estado que llevó al poder a Vicente Guerrero; bajo su gobierno fue ministro de Hacienda. En 1830 viajó a Europa y a su regreso volvió a ser diputado y gobernador de Yucatán. Fue un liberal por convicción, e interesado en la historia del país escribió *Ensayo histórico de las revoluciones de México*, desde 1808 hasta 1830. Sin embargo, se unió a los rebeldes texanos contra México. Fue el primer vicepresidente de la República de Texas, donde tenía grandes terrenos.

Zachary Taylor
(1784-1858)
Nació en Virginia, Estados Unidos, en el seno de una familia rica. Tomó desde joven la carrera de las armas. Cuando Texas se unió a Estados Unidos, fue enviado a la frontera con México; ya para ese entonces ostentaba el grado de general. Venció a los mexicanos en las batallas de Palo Alto y Resaca de la Palma, que dieron principio a la guerra entre los dos países en abril de 1846. Con órdenes de invadir México, entró en Reynosa sin necesidad de presentar batalla y tomó Monterrey después de un breve sitio el 25 de septiembre. Combatió a las tropas de Santa Anna en la indecisa batalla de La Angostura, en febrero de 1847. Regresó a Estados Unidos como un héroe y fue electo diputado y posteriormente presidente en 1849. Como tal, organizó los territorios ganados a México en la guerra; murió de cólera tras haber permanecido en la presidencia de Estados Unidos sólo unos meses.

Las invasiones norteamericanas

Desde que México logró su independencia, Estados Unidos intentó comprarle la provincia de Texas. El gobierno mexicano se negó siempre a vender parte de su territorio. Sin embargo, desde 1820 se habían asentado en Texas miles de colonos estadounidenses, a quienes encabezaba Stephen Austin. So pretexto de ser federalistas, se rebelaron y declararon su independencia en 1836. Debido a errores de estrategia cometidos por Santa Anna, no pudieron ser sometidos, pero México nunca reconoció a Texas como un país independiente. En 1845 Texas se unió a Estados Unidos. Las diferencias con México en torno a los nuevos límites fronterizos dieron al gobierno estadounidense la oportunidad de provocar una guerra para conseguir por las armas los territorios que no había podido comprar. En 1846 los norteamericanos entraron en territorio mexicano por Matamoros y Monterrey; las tropas de Santa Anna les hicieron frente en la batalla de La Angostura. Otras fuerzas de Estados Unidos tomaron Nuevo México, Chihuahua, California y parte de Coahuila, y sitiaron los puertos más importantes del país, pese a la oposición mexicana. Para lograr la rendición de México, tomaron Veracruz y, tras vencer a Santa Anna en Cerro Gordo, llegaron a las afueras de la capital en agosto de 1847. Los mexicanos ofrecieron resistencia en las batallas de Churubusco, Padierna, Molino del Rey y Chapultepec, pero su falta de organización abrió las puertas a los invasores. Con casi tres cuartas partes del territorio tomadas por el invasor, el gobierno de México aceptó firmar el Tratado de Guadalupe-Hidalgo en febrero de 1848, por el cual perdió la mitad norte de su territorio. Esta derrota se debió a la falta de una conciencia nacional, que a partir de entonces comenzó a forjarse lentamente.

Joel R. Poinsett
(1799-1851)
Diplomático y político, nació en Charleston, Estados Unidos. De familia muy rica, se educó en Europa. El presidente de Estados Unidos James Madison lo nombró enviado especial de su país en Sudamérica; Poinsett aprovechó esa misión para apoyar a los independentistas de Chile, lo que le valió ser expulsado de ese país. De nuevo en Estados Unidos, fue electo diputado, y en 1822 su gobierno lo nombró ministro plenipotenciario en México. Escribió *Notas sobre México*, libro en el que critica a nuestro país. Introdujo el rito masónico yorkino, que unificó a los federalistas mexicanos, de los cuales fue guía. Como representante de Estados Unidos, se enfrentó a los embajadores ingleses y trató de comprar Texas por cinco millones de dólares, hasta que en 1829 fue expulsado del país. Fue senador y secretario de Guerra de Estados Unidos entre 1836 y 1841.

Winfield Scott
(1786-1866)
Nació en Virginia, Estados Unidos. Estudió leyes, pero aún joven se alistó en el ejército de su país. Era ya un general y político bien conocido cuando estalló la guerra entre México y Estados Unidos. El presidente Polk le confió la misión de tomar la ciudad de México a finales de 1846. A la cabeza de las huestes que dominaron Veracruz y que lograron sonadas victorias en Cerro Gordo, Churubusco, Padierna, Molino del Rey y Chapultepec, entró en la capital en septiembre de 1847. De regreso en Estados Unidos, se lanzó como candidato a la presidencia en 1852, pero fue derrotado en las elecciones por Franklin Pierce. Participó en varias comisiones del gobierno estadounidense hasta su retiro de la política en 1861.

Pedro María Anaya
(1794-1854)
Nació en Huichapan, Hidalgo. Fue militar realista y seguidor del Plan de Iguala. Fue ministro de Guerra durante el régimen de José Joaquín de Herrera, cuando se iniciaron los problemas con Estados Unidos. Entre 1847 y 1848, fue elegido diputado y ocupó la presidencia por dos breves periodos, del 2 de abril al 30 de mayo de 1847 y del 8 de noviembre de 1847 al 8 de enero de 1848. Dirigió la fortificación del convento de Churubusco y la batalla del mismo nombre, que tuvo lugar el 20 de agosto de 1847. En ella resistió el asedio de fuerzas superiores y sólo se rindió cuando se terminaron las municiones. Los invasores lo tomaron prisionero y lo liberaron al término de la guerra. Volvió a ser secretario de Guerra por unos meses durante el régimen de Mariano Arista. Cuando murió, era director general de Correos.

José Joaquín de Herrera
(1792-1854)
Nació en Jalapa, Veracruz. Desde joven se alistó en el ejército; destacó en varios combates contra los insurgentes y alcanzó el grado de coronel. En 1821 se adhirió al Plan de Iguala. Fue diputado por Veracruz al Congreso Constituyente de 1823-1824. Debido a diferencias con Iturbide fue encarcelado. En 1844 fue nombrado presidente sustituto de la República tras una rebelión liberal. Electo presidente constitucional, inició conversaciones para evitar la guerra con Estados Unidos, pero fueron interrumpidas por la rebelión de Mariano Paredes. Nuevamente presidente en junio de 1848, encabezó un gobierno liberal moderado, impulsó la economía y entabló relaciones con el Vaticano. Llegó al término de su mandato, lo que ningún presidente había logrado desde Guadalupe Victoria; entregó el cargo a Mariano Arista en enero de 1851. Se distinguió por su honradez personal, pero poco pudo hacer por México debido a la falta de recursos. Fue nombrado director del Monte de Piedad en 1853, apenas siete meses antes de su muerte.

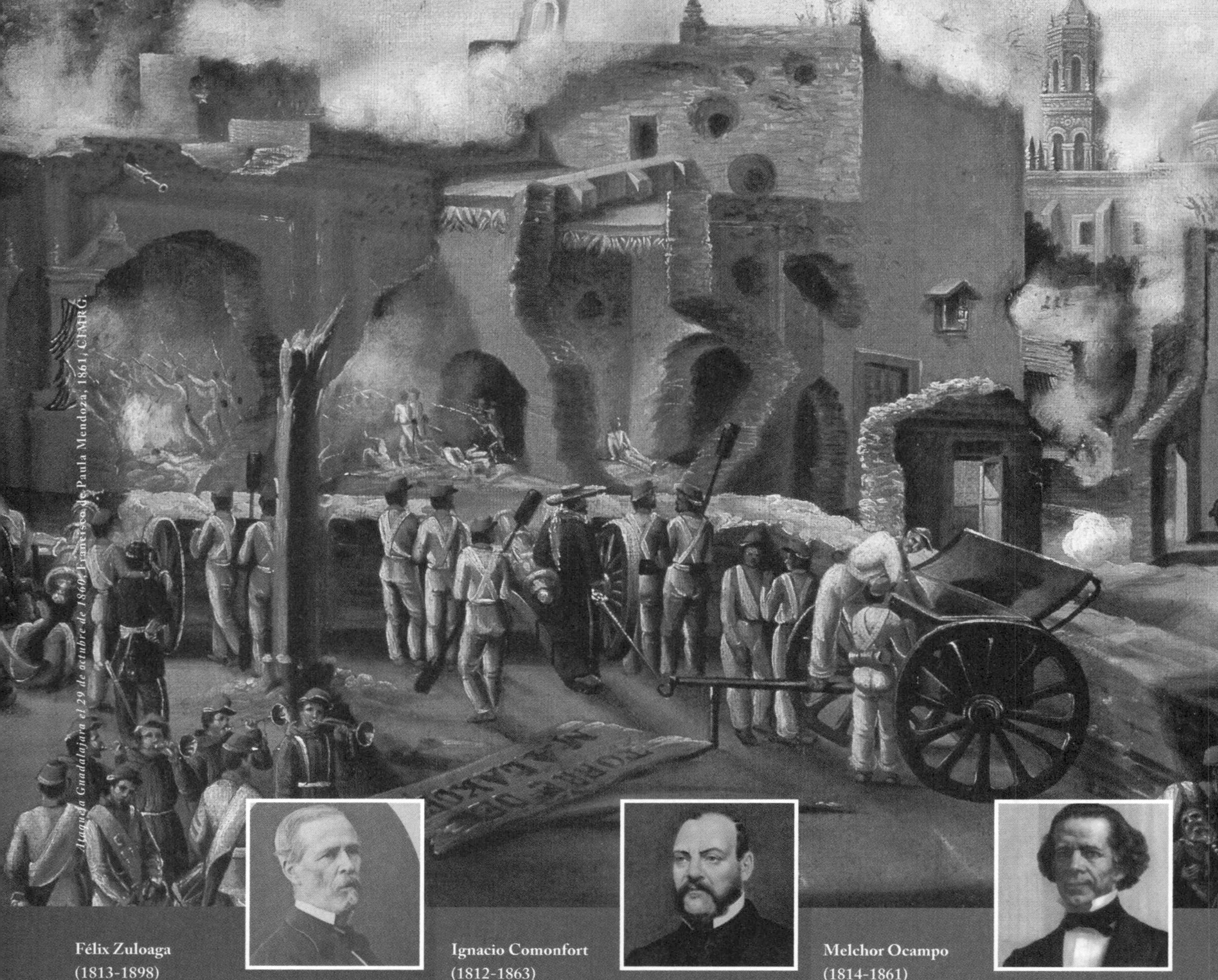

Ataque a Guadalajara el 29 de octubre de 1860, Francisco de Paula Mendoza, 1861, CIMRG.

Félix Zuloaga
(1813-1898)
Militar del bando conservador. Nació en Álamos, Sonora. Realizó sus estudios en Chihuahua y la ciudad de México. En 1843 ingresó en la carrera de las armas combatiendo contra los indios comanches. Al servicio de los presidentes Bustamante y Santa Anna combatió a grupos separatistas en la península de Yucatán. En la guerra contra los Estados Unidos luchó contra los invasores en Monterrey; después de la derrota se retiró a vivir a Chihuahua. Años después regresó al ejército y atacó el Plan de Ayutla. Fue jefe de una guarnición en la ciudad de México. Proclamó el Plan de Tacubaya, en el que desconoció la Constitución liberal de 1857. Al renunciar Comonfort, los conservadores lo declararon presidente interino de la República. Aliado con Miramón y Mejía sostuvo una guerra contra los liberales durante tres años; su derrota lo obligó a exiliarse en Cuba. Regresó a México, donde murió.

Ignacio Comonfort
(1812-1863)
Presidente de la República. Hijo de padres franceses, nació en el actual estado de Puebla. En 1847 participó en la guerra contra los invasores norteamericanos. Siendo administrador de la aduana de Acapulco, fue cesado por Santa Anna. En ese mismo año se pronunció por Juan Álvarez y su Plan de Ayutla. Durante la revuelta tomó los estados de Jalisco, Colima y Michoacán. Un año después Álvarez lo nombró ministro de Guerra y luego presidente sustituto. En 1857 fue designado presidente constitucional. Liberal moderado y conciliador, se afilió al Plan de Tacubaya promulgado por Félix Zuloaga y los conservadores, dándose a sí mismo un golpe de Estado. Esta acción provocó el levantamiento de los liberales, la renuncia de Comonfort y su exilio hacia Estados Unidos. En 1861 regresó a México perdonado por Juárez y los liberales y se integró al ejército mexicano en su lucha contra los franceses. Murió en una emboscada fraguada por guerrilleros mexicanos que combatían junto a los franceses.

Melchor Ocampo
(1814-1861)
Político liberal. Nació en Pateo, Michoacán. Se graduó de bachiller en el Seminario de Morelia y luego estudió leyes en la Universidad de México. Era gobernador de Michoacán cuando ocurrió la invasión norteamericana. Apoyó con recursos a los combatientes y se opuso a la firma del Tratado de Guadalupe-Hidalgo. Durante el destierro que le impuso Santa Anna conoció a Benito Juárez en Nueva Orleans. Regresó al país después del triunfo de la revolución de Ayutla. Tomó parte en la firma de la Constitución de 1857. En la guerra de Reforma, Juárez lo nombró secretario de Gobernación, de Hacienda y de Relaciones. Redactó algunas de las Leyes de Reforma y suscribió la ley que decretaba la nacionalización de los bienes de la Iglesia. En busca del apoyo norteamericano firmó el Tratado McLane-Ocampo, que cedía vías de paso a través del territorio nacional a cambio de ayuda a los liberales. Los conservadores lo capturaron en su hacienda, donde fue fusilado.

La Reforma

La derrota frente a Estados Unidos y los excesos de la dictadura santannista habían agotado al país. La economía y el gobierno se encontraban en bancarrota. Para todos los mexicanos era evidente la necesidad de un cambio que fortaleciera a la nación. Unos proponían regresar a una época de orden y gobierno firme. A éstos se les conocía como los conservadores. Sus rivales, los liberales, proponían un gobierno civil fuerte que limitara el poder de la Iglesia y evitara los abusos del ejército, que pusiera mayor énfasis en la educación del pueblo y en la modernización del país según el modelo norteamericano. En 1855 el cacique liberal Juan Álvarez se levantó en armas y destituyó a Santa Anna. De acuerdo con el Plan de Ayutla promulgado por él, se convocó a un congreso constituyente, el que consagró como ley las garantías individuales, la propiedad privada, la libertad de expresión y la autonomía municipal. En esa época se aprobaron varias leyes en contra del poder del clero; se suprimieron los privilegios a sacerdotes y militares y se decretó la desamortización de los bienes de la Iglesia. La aplicación de estas medidas provocó el levantamiento de grupos conservadores en varias regiones de la República. En la ciudad de México Félix Zuloaga proclamó el Plan de Tacubaya, en el cual se desconocía la nueva Constitución, y convenció al entonces presidente Ignacio Comonfort de apoyarlo en sus demandas. Los liberales, encabezados por Juárez y Santos Degollado, se opusieron defendiendo la Constitución. Como resultado, estalló una sangrienta guerra de tres años durante la cual se redactaron las Leyes de Reforma. Derrotados al principio, los liberales lograron cambiar el curso de la contienda en la batalla de Silao. Los conservadores se dispersaron en guerrillas mientras abogaban por la intervención de una potencia europea.

Benito Juárez
(1806-1872)
Presidente liberal, de origen zapoteco. Nació en San Pablo Guelatao, Oaxaca. A los 13 años partió a la ciudad de Oaxaca; ahí estudió en el Seminario de la Santa Cruz y en el Instituto de Ciencias y Artes, donde se graduó como abogado. En 1848 fue elegido gobernador de Oaxaca. Cuando Santa Anna lo desterró, conoció en Nueva Orleans a Melchor Ocampo y otros destacados liberales. Fue ministro de Justicia en el gabinete de Juan Álvarez. Al proclamarse el Plan de Tacubaya era presidente de la Suprema Corte de Justicia. Fue encarcelado por los conservadores y más tarde liberado. Asumió la presidencia de la República de acuerdo con la Constitución; los liberales reconocieron su mandato. En 1859 expidió las Leyes de Reforma. Era presidente de la República cuando ocurrió la intervención francesa, a la que hizo frente hasta expulsar del país a los invasores. Cuando fue reelecto presidente en 1867, se enfrentó a la rebelión de Porfirio Díaz.

José María Iglesias
(1823-1891)
Jurista y político liberal. Nació en la ciudad de México, donde se recibió de abogado en 1846. Al año siguiente ingresó al partido liberal. Durante la invasión norteamericana se opuso a la firma del Tratado de Guadalupe-Hidalgo. Después del triunfo de la revolución de Ayutla obtuvo un cargo en la Secretaría de Hacienda. Cuando lo nombraron ministro de Justicia, Negocios Eclesiásticos e Instrucción Pública, aplicó las leyes sobre la supresión de los fueros a militares y sacerdotes. Durante la guerra de Reforma se retiró a la vida privada, pero apoyó la causa liberal en varios de sus escritos. En los años difíciles de la intervención francesa acompañó a Juárez y su gobierno. En la época de la República Restaurada se encargó de negociar la deuda externa y de administrar los bienes nacionalizados. Fue magistrado y presidente de la Suprema Corte de Justicia en los gobiernos de Juárez y Lerdo, pero rompió con este último al saber de su reelección.

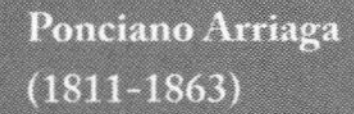

Ponciano Arriaga
(1811-1863)
Militar y abogado liberal. Nació en San Luis Potosí. Terminó su carrera a los 20 años y en 1832 era secretario de la campaña del general Esteban Moctezuma contra el presidente Anastasio Bustamante. Fue regidor del ayuntamiento de San Luis Potosí en 1841. Durante la invasión norteamericana se le encargó el envío de víveres a los ejércitos de Coahuila y Nuevo León. Al finalizar la guerra se pronunció en contra de ceder territorios a Estados Unidos. Mariano Arista lo nombró ministro de Justicia en 1852, pero poco después Santa Anna lo desterró. En Nueva Orleans conoció a Melchor Ocampo y a Benito Juárez. Después de la revolución de Ayutla fue diputado por varios estados de la República. En 1856, siendo miembro del Congreso Constituyente, presidió la comisión encargada de redactar la Constitución. Fue gobernador de Aguascalientes en 1862 y del Distrito Federal al año siguiente.

Juan Álvarez
(1790-1867)
Cacique liberal y presidente de la República. Nació en Atoyac, Guerrero. A los 20 años se incorporó al movimiento insurgente. A las órdenes de Morelos fue herido en el ataque al puerto de Acapulco. Republicano, federalista y liberal, combatió a Iturbide y luego a Bustamante. Fue nombrado general de división y sometió a varios pueblos que se habían rebelado en la sierra de Guerrero. Estableció un enorme cacicazgo en el sur del país, donde su autoridad se hacía sentir desde Oaxaca hasta Michoacán. En 1844 luchó contra Santa Anna y su política centralista. Fue el primer gobernador del estado de Guerrero. En 1854 proclamó el Plan de Ayutla, por el que desconocía a Santa Anna. Fue designado presidente de la República, cargo que dejó a Ignacio Comonfort. Se convirtió en cacique del actual estado de Guerrero.

Ataque del general Bazaine al fuerte de San Javier en Puebla, 29 de marzo de 1963, Jean Adolphe Beauce, 1867, CVT.

Napoleón III
(1808-1873)

Emperador francés. Era sobrino de Napoleón Bonaparte y anhelaba establecer un imperio colonial con posesiones en Asia, América y Europa. Brillante estratega y ambicioso político, veía en México la oportunidad para detener la expansión territorial de Estados Unidos, entonces enfrascado en la guerra de Secesión, y extender la influencia de Francia por el resto de América Latina. Con el pretexto de pagos no cumplidos invadió México y, en alianza con grupos conservadores, ofreció el gobierno del país a un príncipe europeo que favoreciera los intereses de Francia. Después de la derrota francesa en Puebla, Napoleón III reforzó la invasión con más de treinta mil hombres al mando del general Forey. La amenaza de los austriacos, de Prusia y Estados Unidos, además del costo de la fuerza expedicionaria determinaron que retirara su ejército de México y abandonara a Maximiliano.

Ignacio Zaragoza
(1829-1862)

Nació en Bahía del Espíritu Santo, Texas. Hijo de militar, se adhirió al Plan de Ayutla y tomó Saltillo. En la guerra de Reforma combatió bajo las órdenes de Santos Degollado y González Ortega; luchó contra Leonardo Márquez en Guadalajara y venció a las fuerzas conservadoras de Miramón en Lagos y Silao. Como general se distinguió en la batalla de Calpulalpan. En 1861 Juárez lo nombró ministro de Guerra y Marina, pero se retiró del puesto para luchar contra los franceses; los combatió en Acultzingo y, como jefe del Ejército de Oriente, organizó la defensa de la ciudad de Puebla, donde derrotó al ejército invasor en la famosa batalla del 5 de mayo. Meses después murió en su cuartel general en Puebla a causa de una fiebre tifoidea.

Mariano Escobedo
(1826-1902)

Nació en Galeana, Nuevo León. Agricultor y arriero hasta los 25 años, apoyó el Plan de Ayutla. Durante la guerra de Reforma obtuvo el grado de coronel. En Rioverde fue derrotado por Leonardo Márquez. Luchó contra los franceses desde el inicio de la invasión. Los atacó en Acultzingo y los detuvo en Puebla. Al caer la ciudad fue aprehendido; poco después se fugó y Juárez le encomendó la organización del Ejército del Norte y más tarde las operaciones en el sitio de Querétaro, donde fue derrotado Maximiliano. Después de la guerra fue gobernador de Nuevo León y San Luis Potosí, diputado y presidente de la Suprema Corte de Justicia. Secretario de Guerra y Marina en el gobierno de Lerdo de Tejada, su lealtad hacia él le costó el exilio cuando triunfó Porfirio Díaz. Después regresó y fue electo senador.

La intervención francesa

Después de los excesos de la dictadura santannista y las batallas de la guerra de Reforma, México se encontraba en bancarrota sin poder saldar sus deudas con los países acreedores. En 1862 las armadas de España, Inglaterra y Francia desembarcaron en Veracruz dispuestas a cobrar sus préstamos. Después de negociar con el representante de México, España e Inglaterra se retiraron. Las fuerzas francesas al mando del general Lorencez avanzaron hacia la capital. Derrotadas en la batalla de Puebla, se refugiaron en Orizaba mientras esperaban refuerzos para proseguir la ofensiva. Mientras tanto, Luis Bonaparte, el ambicioso sobrino de Napoleón I, se alió con grupos de conservadores mexicanos para imponer un rey europeo en el país. La llegada de más tropas expedicionarias francesas y del archiduque Fernando Maximiliano de Habsburgo inclinaron la balanza a favor de los franceses y sus aliados conservadores. El ejército monárquico ocupó las principales ciudades del país, mientras el gobierno liberal se batía en retirada hasta la frontera con Estados Unidos. Juárez y los republicanos nunca se rindieron, y el curso de los acontecimientos comenzó a favorecerlos. Maximiliano se enemistó con sus colaboradores mexicanos al aplicar algunas de las ideas propuestas por los liberales. La permanencia de las tropas francesas resultaba muy costosa para el bolsillo francés y, además de todo, Prusia, la otra potencia europea de la época, mantenía una posición amenazante. Estados Unidos, al término de su guerra civil, presionó a Francia para que se retirara. El retiro de las fuerzas francesas en 1867 fue obligado. Maximiliano, indefenso, tuvo que recurrir a sus antiguos aliados conservadores, los generales Miramón y Mejía, pero ya era demasiado tarde. Derrotados en Querétaro, fueron fusilados en el cerro de las Campanas.

Maximiliano de Habsburgo
(1832-1867)

Príncipe de la casa de Habsburgo y hermano del emperador austriaco Francisco José. Nació en el palacio de Schönbrunn, cerca de Viena. Aún joven se casó con la princesa Carlota Amalia, hija de los reyes de Bélgica. Apoyado por Napoleón III, aceptó la corona imperial de México. En abril de 1864 llegó a la capital, donde tuvo una recepción multitudinaria. Trató de mejorar la suerte de los indígenas y campesinos pobres. Obras suyas son el Paseo de la Reforma y el alcázar del castillo de Chapultepec. Sus ideas liberales lo llevaron a aplicar algunas de las medidas propuestas por Juárez en las Leyes de Reforma, lo que le acarreó el disgusto de autoridades eclesiásticas y grupos conservadores. Abandonado por éstos y por Napoleón III, quien retiró sus tropas de México, fue capturado y fusilado.

Aquiles Bazaine
(1811-1888)

Militar francés, nacido en Versalles. Después de que Forey regresó a Francia a recibir honores, Bazaine asumió el mando de las fuerzas expedicionarias francesas. Tomó Jalapa y Perote y, después de un sitio de dos meses, la ciudad de Puebla. En 1863 quedó a cargo de la pacificación del país; bajo su mando tenía a 34 mil soldados extranjeros y 13 mil mexicanos. Reforzó la ruta México-Veracruz. Ocupó Querétaro, Guanajuato y San Luis Potosí; sitió la ciudad de Oaxaca, donde capturó a Porfirio Díaz. En 1864 fue nombrado mariscal de Francia. Incapaz de sofocar las guerrillas y derrotar por completo a los liberales, abandonó el país en 1867 y regresó a Francia acompañado de Josefina Peña, su esposa mexicana.

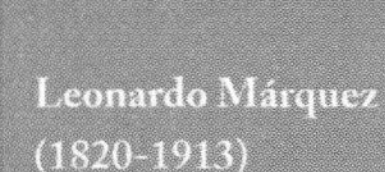

Leonardo Márquez
(1820-1913)

Militar conservador. Nació en la ciudad de México. Militó en la guerra de Texas y se distinguió en las batallas de Aguanueva, La Angostura, Churubusco y Tacubaya. En 1858 Félix Zuloaga, presidente conservador, lo nombró jefe de la División del Poniente. Derrotó a Santos Degollado en Chapultepec y Tacubaya, por lo que obtuvo el grado de general de división y el apodo de *Tigre de Tacubaya*. Derrotó y fusiló a Leandro Valle, y luchó contra Zaragoza y González Ortega; causó tantos problemas a los liberales que Juárez puso precio a su cabeza. Colaboró con las fuerzas francesas de ocupación y a la retirada de éstas defendió el gobierno de Maximiliano. Después de la derrota del imperio escapó a La Habana, pero Díaz lo indultó y permitió su retorno a México. Al triunfo de la revolución maderista, volvió a Cuba, donde murió.

Miguel Miramón
(1832-1867)

Militar conservador. Nació en la ciudad de México. Siendo apenas un alumno del Colegio Militar, participó en la defensa del castillo de Chapultepec durante la invasión norteamericana. Era enemigo acérrimo de los liberales y asumió el mando del Ejército del Norte en 1858 como general de división. Un año después fue proclamado presidente de la República por el bando conservador. Sitió a Benito Juárez en el puerto de Veracruz y derrotó a Santos Degollado en Guadalajara. Vencido por los liberales huyó a Cuba. De regreso en México, reconoció el imperio, pero Maximiliano lo mandó fuera del país. Regresó en 1866 y se integró al ejército imperial; atacó Zacatecas y defendió Querétaro. Al caer esta ciudad fue fusilado en el cerro de las Campanas.

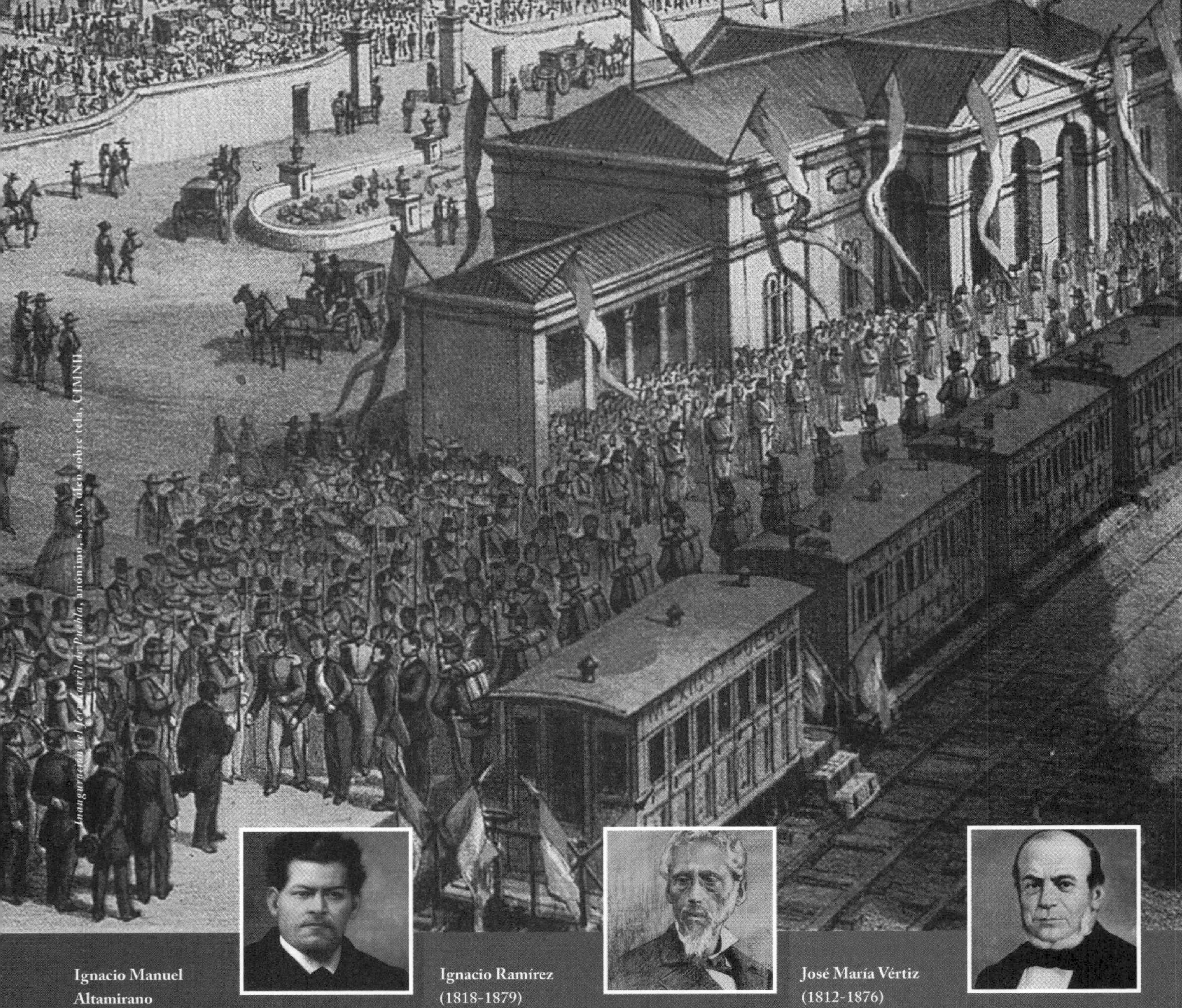

Inauguración del ferrocarril de Puebla, anónimo, s. XIX, óleo sobre tela, CIMNH.

Ignacio Manuel Altamirano
(1834-1893)
Soldado y literato. Nació cerca de Tixtla, Guerrero. Hijo de indígenas, aprendió el castellano a los 14 años. Por sus méritos recibió una beca para estudiar en el Instituto Literario de Toluca, donde fue discípulo de Ignacio Ramírez. En 1854 luchó al lado de Juan Álvarez y durante la guerra de Reforma combatió a los conservadores. Ferviente liberal, a lo largo de su vida escribió numerosas obras de acento nacionalista y romántico, como *Navidad en las montañas*, *Clemencia* y *El Zarco*. También se dedicó a la crítica y fundó dos de las revistas más importantes del siglo XIX, *El Correo de México* y *El Renacimiento*. Murió en Europa.

Ignacio Ramírez
(1818-1879)
Escritor y reformista liberal, conocido como el *Nigromante*. Nació en San Miguel el Grande, Guanajuato. Estudió artes y jurisprudencia, escolástica, teología y filología. Ingresó en la Academia de San Juan de Letrán. Por sus escritos, considerados ofensivos para la moral pública, fue encarcelado y desterrado. Fundó el Instituto Literario de Toluca, donde impartió clases de letras y derecho. En 1861 fue ministro de Justicia e Instrucción Pública y, poco después, ministro de Fomento. Ordenó la formación de la Biblioteca Nacional y aplicó con rigor las Leyes de Reforma. Escribió numerosas obras de carácter político y científico, así como poemas, cuentos y discursos. Fue magistrado de la Suprema Corte. Falleció cuando era ministro del gabinete de Porfirio Díaz.

José María Vértiz
(1812-1876)
Médico cirujano, nació en México. Estudió gramática y filosofía en Querétaro; a los 19 años ingresó en la Universidad Nacional y en la Escuela de Cirugía. Marchó a Francia, donde se especializó en el estudio de las enfermedades oculares. Al terminar, regresó a México. Fue director del hospital de Jesús, profesor de medicina operatoria y, desde 1868, director de la Escuela de Medicina. En su época fue la persona con mayor experiencia en la curación de cataratas por medios quirúrgicos, e introdujo en México el tratamiento de abscesos en el hígado mediante la canalización. Fue miembro fundador de la actual Academia de Medicina. Murió en Tacubaya sin dejar obras escritas. Por sus méritos, se dio su nombre a una famosa avenida de la ciudad de México.

La República Restaurada

Después de las guerras de Reforma y de la derrota del segundo imperio, la República se consolidó. Los grupos conservadores habían sido definitivamente vencidos y se había alejado el peligro de una nueva intervención extranjera. El Estado mexicano salió fortalecido de la contienda; la victoria sobre los franceses originó un espíritu de lucha y fervor patrio, el poder de la Iglesia estaba debilitado y el país parecía encaminarse a una época de paz y progreso. Sin embargo, muchos obstáculos faltaban por superar: grupos indígenas afectados por los abusos de hacendados y gobernantes se levantaron en armas en Nayarit, Chiapas y la península de Yucatán, mientras tribus apaches y comanches asolaban las tierras del norte. Caciques locales y bandidos dominaban el campo. El gobierno tuvo que sofocar numerosas revueltas que provocaron sus propios generales, descontentos por las reelecciones del presidente Juárez. Se levantaron, entre otros, Donato Guerra, Jerónimo Treviño, Porfirio Díaz y Vicente Riva Palacio. Además de todos estos problemas, la deuda externa, causa de las intervenciones extranjeras, había aumentado. Los gobiernos de Juárez y Lerdo de Tejada hicieron frente a estas dificultades, abrieron escuelas y centros educativos, crearon un código civil y otro penal. Muchos de los efectivos del ejército fueron licenciados, se negoció gran parte de la deuda, se aplicaron las Leyes de Reforma y hubo un intento de conciliar al Estado civil con la Iglesia. La República Restaurada fue también una época de renacimiento cultural; novelas, revistas literarias, liceos, institutos de ciencias y periódicos se dedicaron a estudiar la identidad y los problemas nacionales. La red de caminos y telégrafos creció y se inauguró el ferrocarril de México a Veracruz.

Sebastián Lerdo de Tejada
(1823-1889)
Nació en Jalapa, Veracruz. Estudió abogacía en el Colegio de San Ildefonso, institución de la que fue rector. Fue ministro de Relaciones en el gobierno de Comonfort; no participó en las guerras de Reforma, pero en 1867 tomó el bando liberal y se convirtió en el hombre más próximo al presidente Juárez. Al triunfar la República fue ministro de Gobernación, Relaciones Exteriores, diputado y presidente de la Suprema Corte. Tras la muerte de Juárez asumió la presidencia del país y aplicó con rigor las Leyes de Reforma, con el consiguiente enojo de los católicos. Durante su mandato inauguró el ferrocarril de México a Veracruz. En 1876 intentó reelegirse, lo que provocó el levantamiento de Porfirio Díaz; derrotado, abandonó el país y se radicó en Nueva York hasta su muerte.

Gabino Barreda
(1818-1881)
Médico y maestro, fue uno de los principales educadores del siglo XIX. Nació en Puebla. Estudió abogacía, química y medicina. Durante la guerra con Estados Unidos prestó sus servicios en el cuerpo médico militar; cuando concluyó el conflicto regresó a las aulas. En la época del imperio se retiró a Guanajuato, donde ejerció como médico. Positivista y liberal, adaptó al sistema de México las ideas de Augusto Comte sobre la educación. Después de la victoria de la República, formó una comisión para implantar la enseñanza elemental, obligatoria, gratuita y laica en sustitución de la antigua instrucción religiosa. Fue también uno de los fundadores de la Escuela Nacional Preparatoria, que dirigió durante diez años. Murió en Tacubaya.

Manuel Lozada
(1828-1873)
Cacique nayarita, conocido como el *Tigre de Álica*. De ideas monárquicas y agraristas, tuvo gran prestigio entre los indígenas coras y huicholes, a quienes defendió. Su carrera comenzó al fugarse con la hija de su patrona a la sierra de Álica, donde se hizo de un grupo armado. Atacó a las tropas del gobierno de Ixtlán y Tepic; con el tiempo dominó un extenso territorio en Jalisco, Nayarit y Sinaloa. Para huir de los ejércitos liberales se internó en la sierra. A la llegada de los franceses, los liberales lograron un acuerdo con Lozada. Mantuvo su poder en Nayarit hasta 1873, año en que promulgó el Plan Libertador de los Pueblos de la Sierra de Álica. Fue derrotado y más tarde capturado y fusilado por las fuerzas de Ramón Corona.

Ramón Corona
(1837-1889)
Militar liberal. Nació en Tuxcueca, Jalisco. A los 21 años se rebeló contra Manuel Lozada, cacique del actual estado de Nayarit. Con la ayuda de las fuerzas liberales tomó Acaponeta y Tepic. Durante la intervención francesa organizó la resistencia en Jalisco, Sinaloa y Colima. Fue nombrado jefe del Ejército de Occidente por Benito Juárez; derrotó a los franceses en Colima y Mazatlán, y participó en la captura de Maximiliano. Después de vencer a los franceses, prosiguió su lucha contra Manuel Lozada. En 1871 sometió a las fuerzas lozadistas en La Mojonera, cerca de Tequila, y persiguió al cabecilla hasta su escondite en la sierra, donde lo capturó y fusiló. Como gobernador de Jalisco, fundó el Monte de Piedad en su estado y finalizó la construcción del ferrocarril México-Guadalajara. Fue embajador de México en España y Portugal.

Alameda Central, C. B. Waite, 1904, AGN.

Vicente Riva Palacio
(1832-1896)

Escritor y político, nieto de Vicente Guerrero. Nació en la ciudad de México. Se tituló de abogado en 1854 y más tarde participó en la revolución de Ayutla. Fue nombrado diputado al fin de la guerra de Reforma. Durante la invasión francesa fue gobernador del Estado de México y Michoacán y jefe del Ejército del Centro en 1865. Al cesar las hostilidades se dedicó a las letras y al periodismo. Fue también magistrado de la Suprema Corte. Sus escritos contribuyeron a la caída de Lerdo de Tejada y al ascenso de Porfirio Díaz, quien lo nombró ministro de Fomento, Colonización, Industria y Comercio; en su gestión favoreció la construcción de vías férreas. En 1883 Manuel González lo encarceló. Fungió como ministro de México ante los reinos de España y Portugal. Fue el principal responsable de la monumental obra histórica *México a través de los siglos*. Durante el porfiriato fue muy popular su canción "Adiós mamá Carlota".

Justo Benítez
(1833-1900)

Nació en Ejutla, Oaxaca. Abandonado por sus padres, adoptó el apellido de un sacerdote e ingresó al seminario. A punto de ordenarse decidió seguir la carrera de leyes. En Oaxaca fue nombrado oficial mayor del gobierno de Juárez y estuvo entre los iniciadores de la desamortización de los bienes de la Iglesia. Participó en el sitio de Puebla, donde lo hicieron prisionero junto con Porfirio Díaz. Después de ser liberado por Maximiliano, viajó a Estados Unidos para obtener recursos en contra de los franceses. Fue incondicional de Díaz, a quien apoyó en el Plan de Tuxtepec; por ello fue nombrado secretario de Hacienda en 1877. Era intrigante y ambicioso; lo consideraban la figura mayor del partido porfirista. Sus manejos políticos le atrajeron el descrédito de la población. Cuando Díaz designó a Manuel González como su sucesor en la presidencia, Benítez se retiró de todo cargo público.

Manuel Payno
(1810-1894)

Escritor, político y diplomático. Nació en la ciudad de México. Trabajó en Aduanas y al servicio de varios generales. Viajó por varios países de Europa y Sudamérica. Fue ministro de Hacienda en el gobierno de José Joaquín de Herrera. Perseguido por Santa Anna, se refugió en Estados Unidos. En 1855 volvió al Ministerio de Hacienda con Ignacio Comonfort, a quien apoyó en su golpe de Estado. Por este motivo fue expulsado de la política; después se dedicó a las letras. En 1882 fue designado agente de colonización en París y cónsul en España. Escribió sobre los problemas financieros de México, un compendio de historia de México, biografías, cuentos y novelas. Su obra más conocida es *Los bandidos de Río Frío*, retrato costumbrista del México del siglo XIX.

La pacificación porfiriana

Después de sus hazañas contra la intervención francesa, Porfirio Díaz era un militar popular, poderoso y con ambiciones políticas. Cuando Benito Juárez y Sebastián Lerdo de Tejada se reeligieron, Díaz se levantó en contra de ellos al grito de no reelección, primero con el Plan de la Noria y luego con el Plan de Tuxtepec. Conquistó el poder en 1877 gracias a su victoria en la batalla de Tecoac. Las elecciones para presidente de 1878 casi resultaron mera formalidad, pues Díaz ganó con el 97% de los votos. El primer objetivo de su gobierno fue pacificar al país y eliminar a los rivales políticos más poderosos. No dudó en ejecutar a los levantados en su contra y exiliar a los enemigos más molestos; también hizo cambios en las cámaras para lograr un congreso dócil al poder ejecutivo. Logró el reconocimiento de Estados Unidos, Alemania, Italia, España y Francia, las potencias económicas de entonces. Años de relativa paz permitieron el crecimiento de la industria, la minería y los ferrocarriles, así como de los latifundios y del número de peones. En 1880 Díaz, fiel aún al lema de la no reelección, apoyó a Manuel González como candidato a la presidencia. González fue la cabeza de un gobierno derrochador que agotó las reservas monetarias del país; sin embargo, durante su mandato hubo algunos logros, como la creación del Banco Nacional de México y el crecimiento de la red ferroviaria. Después de este régimen, el único personaje viable para la silla presidencial era, de nuevo, Porfirio Díaz, quien se reeligió con una votación casi unánime. Había surgido el poder que gobernaría a México durante los siguientes 27 años.

Manuel González
(1833-1893)
Militar y político, nació en el municipio de Matamoros, estado de Tamaulipas. Militó en las fuerzas de Santa Anna y luchó contra el presidente Comonfort. En la Reforma tomó el bando conservador. Junto con Miguel Miramón atacó el puerto de Veracruz en 1859.
Se acogió a la amnistía y luchó en contra de los franceses. En 1862 ingresó al Ejército de Oriente. Siendo diputado por Oaxaca se unió a las revueltas de Díaz entre 1877 y 1879. Fue gobernador de Michoacán, luego secretario de Guerra y Marina y, de 1880 a 1884, presidente de la República. Fue conocido su gusto por amoríos y francachelas, que llevaron al país al borde de la bancarrota. Bajo su gestión quebró el Monte de Piedad, se importaron colonos europeos, se fundó el Banco Nacional de México y creció la red de teléfonos y ferrocarriles. De 1884 a 1893 fue gobernador de Guanajuato.

Porfirio Díaz
(1830-1915)
Militar y político. Nació en Oaxaca; ingresó al Seminario y estudió la carrera de leyes. Apoyó la rebelión de Juan Álvarez y el Plan de Ayutla. Como liberal defendió la ciudad de Oaxaca; luchó contra Leonardo Márquez, a quien derrotó en varias ocasiones. Combatió a los franceses en las batallas de Acultzingo y Puebla. Al año siguiente fue encarcelado por las tropas que sitiaban la ciudad de Puebla. Benito Juárez lo designó jefe del Ejército de Oriente, con el que tomó Oaxaca en 1863. Dos años después, el mariscal Bazaine lo venció y encarceló. Logró fugarse y se puso al mando de sus fuerzas hasta derrotar a los franceses; tomó Puebla el 2 de abril de 1867 y entró victorioso en la ciudad de México unos meses después. Popular y ambicioso, el héroe del 2 de abril acumuló suficiente poder para oponerse a Juárez y Lerdo, a quienes se enfrentó en elecciones y revueltas hasta alcanzar la presidencia de la República; en ella se mantuvo durante 30 años.

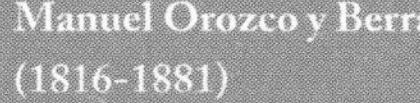

Manuel Orozco y Berra
(1816-1881)
Ingeniero, erudito e investigador. Nació y murió en la ciudad de México. Obtuvo el título de ingeniero topógrafo en el Colegio de Minería. Fue director del Archivo General de la Nación y elaboró el mapa hidrográfico del valle de México, así como un *Diccionario universal de historia y geografía*. Formó parte del gabinete de Ignacio Comonfort y fue juez en la Suprema Corte de Justicia. Fue un hombre de tendencias conservadoras que se dedicó a la investigación histórica; dirigió el Museo Nacional durante el imperio de Maximiliano. Gracias a él se conservaron importantes archivos e invaluables piezas arqueológicas. Después de la victoria sobre los franceses fue destituido y encarcelado. En el porfiriato se reconocieron sus méritos y su lugar en la Sociedad Mexicana de Geografía y Estadística y en la Academia de Literatura y Ciencia. Su obra más famosa es *Historia antigua y de la conquista de México*.

José María Leyva,
Cajeme
(1839-1887)
Cacique y alcalde mayor del río Yaqui. Durante su administración diseñó un sistema autónomo de gobierno y de recaudación de impuestos que disgustó a las autoridades del estado de Sonora. En 1882 encabezó una de las rebeliones indígenas más cruentas del porfiriato: la llamada guerra del Yaqui, en la que perecieron poblaciones enteras. Tras diversos combates, las tropas federales lograron vencerlo y aprehenderlo en San José de Guaymas. Fue fusilado a orillas del río Yaqui.

Interior del pabellón mexicano en la Exposición Universal de París de 1889, G. Bordeuse, 1889, CIMNH.

José Yves Limantour
(1854-1935)
Economista y político de ascendencia francesa, nació en la ciudad de México. Se graduó con una licenciatura en derecho y dio clases de economía política y derecho internacional. Fue diputado y secretario de Hacienda y Crédito Público de 1893 a 1911. Formó parte del grupo gobernante conocido como los "científicos". En su administración desaparecieron las casas de moneda privadas, se elaboró un reglamento para los bancos, las finanzas públicas mejoraron y se negoció la deuda externa. Por primera vez en la historia del país se logró una balanza comercial favorable y la estabilización del peso. En 1902 emprendió la nacionalización de los ferrocarriles. En 1911 trató de impedir la caída del porfiriato; al no conseguirlo, negoció la renuncia de Díaz y su exilio de México. Después del triunfo maderista radicó en París, donde murió.

Manuel Gutiérrez Nájera
(1859-1895)
Poeta y periodista, nació en la ciudad de México. De formación autodidacta, se inició como periodista a los 16 años de edad. Colaboró en más de cuarenta diarios y revistas; firmaba sus obras con seudónimos como el *Duque Job*, *el Cronista* o *Perico de los Palotes*. Escribió numerosos cuentos, crónicas y poemas como sus *Odas breves* y *Tristísima Nox*, de gran popularidad en su época. Realizó varias adaptaciones teatrales; fundó la revista *Azul* e implantó un estilo refinado en el que se describe la realidad con abundancia de imágenes y recurrencia constante a la fantasía. Se le ha llamado *flor de otoño* del romanticismo mexicano y precursor del modernismo en América. Admirador de la cultura europea, ejerció gran influencia entre los poetas del porfiriato.

Matías Romero
(1837-1898)
Diplomático y político, nació en la ciudad de Oaxaca. A los 20 años se recibió de abogado. Fue secretario de Melchor Ocampo y ayudante de Juárez en el Ministerio de Relaciones Exteriores; más tarde se le nombró embajador ante el gobierno de Estados Unidos. Después de la intervención francesa ocupó el cargo de ministro de Hacienda cuatro veces bajo los gobiernos de Juárez, Lerdo y Porfirio Díaz. Preocupado por el progreso del país, promovió la inmigración de colonos y trabajadores extranjeros y la construcción del ferrocarril en el istmo de Tehuantepec. Creó ambiciosas empresas agrícolas en las zonas tropicales del sur del país. Murió en Estados Unidos cuando fungía como representante diplomático.

La época del orden y el progreso

Una vez consolidado en el poder, Díaz comenzó una política de conciliación entre los sectores más favorecidos del país. A los caciques regionales les permitió mantener el poder local a cambio de su lealtad. Se reconcilió con la Iglesia católica y sus antiguos enemigos conservadores, gracias a lo cual México disfrutó de 27 años de paz, al final de un siglo de batallas. Con la paz, la economía se recuperó: la minería, la industria y las comunicaciones se desarrollaron rápidamente; por primera vez en su historia México se convirtió en exportador de productos agrícolas y ganaderos; también se logró resolver el problema de la deuda externa que tenía al país en bancarrota. El régimen porfirista fomentó el desarrollo artístico y científico de México; se fundaron nuevas escuelas, teatros, museos y academias. Los intelectuales más importantes pensaban que sólo la ciencia y la modernización industrial sacarían al país de su atraso. Para conseguirlo había que importar capitales del exterior. Los inversionistas procedentes de Estados Unidos, Francia e Inglaterra crearon poderosas empresas en el ramo de la minería, la agricultura, la electricidad, el comercio y los ferrocarriles. Sin embargo, el progreso de México se logró muchas veces a costa de los más débiles, es decir, los campesinos, quienes eran despojados de sus tierras por las compañías deslindadoras y por ambiciosos hacendados. Los obreros y peones agrícolas soportaban largas jornadas de trabajo a cambio de un mísero jornal.

José María Velasco
(1840-1912)

Botánico, pintor y fotógrafo. Nació en Temascalcingo, Estado de México. A los 18 años se inscribió en la Academia de San Carlos; fue discípulo de Pelegrín Clavé y Eugenio Landesio. Tomó también clases de botánica, zoología, física y matemáticas, y estudió anatomía en la Facultad de Medicina. En 1868 publicó *La flora en el valle de México*, ilustrada con magníficos dibujos. Por sus méritos ingresó en la Sociedad Mexicana de Historia Natural; más tarde trabajó como fotógrafo y dibujante del Museo Nacional. Está considerado como el mejor pintor de paisajes del siglo XIX. Algunos de sus más de 250 cuadros obtuvieron premios en exposiciones internacionales. Sus obras más conocidas son los paisajes del valle de México.

Luis Terrazas
(1829-1923)

Gobernador y latifundista, nació y murió en la ciudad de Chihuahua. Inició su carrera política como regidor del ayuntamiento de esa ciudad; poco después fue designado presidente de la junta de guerra contra los indios bárbaros. De ideas liberales, luchó contra los conservadores y en la gubernatura de su estado publicó las leyes en contra de la Iglesia. Durante la guerra de Intervención luchó contra los franceses y después de la victoria fue reelecto como gobernador. Se enfrentó a las fuerzas de Porfirio Díaz y, al triunfar éste, se retiró hasta 1880, cuando volvió a ser gobernador. Durante su mandato se inauguró el ferrocarril Chihuahua-Ciudad Juárez; más tarde volvió a reelegirse. Su enorme fortuna comprendía la novena parte del estado de Chihuahua y miles de cabezas de ganado. Al triunfar la revolución se refugió en Estados Unidos.

Justo Sierra
(1848-1912)

Jurista y educador, nació en el puerto de Campeche, donde realizó sus primeros estudios. Estudió leyes en el Colegio de San Ildefonso, donde se reveló su vocación literaria. Colaboró en diversas publicaciones como *El Federalista*, *El Monitor Republicano* y *El Siglo XIX*. Escribió numerosas obras de ensayo, poesía, cuento, política e historia. Durante el porfiriato fue diputado, magistrado de la Suprema Corte de Justicia y ministro de Instrucción Pública de 1905 a 1911. Su labor educativa culminó con la fundación de la Universidad Nacional.
En 1910, al triunfar la revolución, fue nombrado ministro plenipotenciario en España, país donde murió. Por su labor cultural, la UNAM lo declaró Maestro de América en 1948.

Bernardo Reyes
(1850-1913)

Militar y político, nació en Guadalajara. Desde los 15 años siguió la carrera de las armas y participó poco después en la lucha contra los franceses. Fue comandante militar de San Luis Potosí y gobernador provisional de Nuevo León en dos ocasiones.
En 1901 fue nombrado secretario de Guerra y Marina; modernizó el ejército del país. Volvió como gobernador a Nuevo León, de 1903 a 1909. Durante su mandato impulsó la industria en ese estado. Se llegó a creer que Díaz lo nombraría sucesor a la presidencia de la República, pero esto no ocurrió. Luego del triunfo de la revolución, perdió las elecciones presidenciales e intentó una revuelta. Aprehendido en Linares, fue liberado por Félix Díaz y murió tratando de tomar el Palacio Nacional.

Porfirio Díaz, Porfirio Díaz Ortega y su Estado Mayor, ca. 1904, CERG.

Amado Nervo
(1870-1919)

Fue uno de los poetas más entrañables para los mexicanos de su época. Originario de Tepic, Nayarit, estudió en el seminario de Zamora, Michoacán. En Mazatlán comenzó a escribir sus primeros artículos periodísticos. Colaboró con Gutiérrez Nájera en la *Revista Azul* y se relacionó con los poetas modernistas en la *Revista Moderna*. Escribió, entre otros poemarios, *Serenidad* y *Elevación*, donde revela una poesía íntima, cálida y familiar. Fue profesor en la Escuela Nacional Preparatoria y diplomático en España, Argentina y Uruguay. Escribió además animadas crónicas y cuentos.

Enrique C. Creel
(1854-1930)

Político, empresario y banquero chihuahuense. Llegó a ser regidor y síndico del ayuntamiento de Chihuahua, diputado local y federal, y gobernador interino y constitucional de su estado antes de la Revolución de 1910. Siendo gobernador se interesó en la reforma de varios códigos estatales y fomentó la educación y los estudios históricos. Publicó *Los bancos de México* y *Agricultura y agrarismo*. Durante el último año del gobierno de Díaz fue secretario de Relaciones Exteriores por unos meses. Llegó a presidir la Asociación de Banqueros de la República, varias instituciones bancarias y la Sociedad Mexicana de Geografía y Estadística.

Francisco Bulnes
(1847-1924)

Científico, historiador y parlamentario. Nació en la ciudad de México; estudió ingeniería de minas e impartió clases de meteorología y economía política en la Escuela Nacional Preparatoria y el Colegio de Minas; viajó a Japón y al oriente asiático en una misión científica. Positivista de firme vocación científica, fue siempre un pensador independiente y escéptico. Su oposición a importantes políticos le acarreó ataques y críticas. Fue uno de los primeros críticos de la Reforma, del gobierno de Díaz y de la Revolución Mexicana, a la que atacó duramente en sus últimos artículos periodísticos. Sus obras históricas y sociológicas incluyen: *Los grandes problemas de México*, *Las grandes mentiras de nuestra historia*, *Juárez y las revoluciones de Ayutla y la Reforma*.

El ocaso del porfiriato

Tres décadas de "paz, orden y progreso" porfiriano habían transformado al país. Aparentemente México se encaminaba hacia la prosperidad, tenía un sólido desarrollo económico y una planta industrial en pleno crecimiento. A pesar de ello, la gran mayoría de la población se benefició poco del bienestar material y, por el contrario, sufría las injusticias que provocaban la concentración del poder y la riqueza en unas cuantas manos. En el campo, millones de campesinos vivían en condiciones deplorables, mientras cinco mil hacendados eran dueños de la mayor parte de las tierras cultivables del país. Políticos mexicanos y empresarios extranjeros llegaron a acaparar enormes extensiones en el norte del país a precios risibles y pasando por encima de los derechos de los pequeños propietarios. En Yucatán y Sonora, los grupos indígenas que se opusieron al despojo de sus tierras fueron reprimidos y trasladados a lugares inhóspitos. En las ciudades, los obreros tampoco gozaban de los beneficios del porfiriato: trabajaban largas jornadas a cambio de salarios insuficientes. La clase media, compuesta por técnicos, maestros y abogados, gente con educación y aspiraciones políticas, se convirtió en la principal crítica del gobierno porfirista al ver que el poder y la riqueza se mantenían en manos de unos cuantos.
En cambio, a las élites del país, grandes empresarios, comerciantes y latifundistas, les preocupaba la transmisión del poder presidencial. Don Porfirio estaba a punto de cumplir 80 años y no parecía decidirse a escoger un sucesor. Por otra parte, los norteamericanos favorecidos por Díaz recelaban de su política cada vez más independiente y nacionalista, a tal grado que el presidente de Estados Unidos decidió entrevistarse con él. La cacareada paz estaba a punto de derrumbarse. Las expresiones de inconformidad comenzaron a brotar en algunas regiones del país; hubo huelgas en Cananea y Río Blanco, se crearon partidos políticos y periódicos de oposición.

Porfirio Díaz
(1830-1915)
Una vez más en la silla presidencial, Díaz formó un gobierno que alentó la administración y postergó la política. Consolidó la paz, dio prestigio internacional al país y lo enfiló hacia el progreso material y cultural, aunque no pudo resolver los grandes problemas de pobreza, desigualdad social e injusticia. En 1908 declaró que México ya estaba preparado para la democracia. Sin embargo, dos años después volvió a reelegirse, lo que provocó el estallido revolucionario encabezado por Francisco I. Madero. En 1911 renunció a la presidencia después de treinta años en el poder.

José Guadalupe Posada
(1852-1913)
Dibujante y grabador originario de Aguascalientes, donde también aprendió sus oficios. En 1887 se trasladó a la ciudad de México para instalar su propio taller, del que saldrían los más célebres grabados mexicanos de principios de siglo. En colaboración con Antonio Vanegas Arroyo, se dio a la tarea de informar y divertir al pueblo por medio de graciosas estampas que ilustraban desde corridos y canciones populares hasta relatos de crímenes pasionales y señoras galantes. Son célebres sus "calaveras", que desde el mundo de los muertos se burlan de los vivos. Satirizó los últimos años del gobierno de Díaz y plasmó imágenes de la revolución.

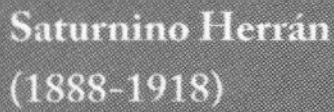

Saturnino Herrán
(1888-1918)
Pintor nacido en Aguascalientes. En 1904 ingresó en la Escuela Nacional de Bellas Artes. Gracias a sus dotes para el dibujo y su marcado gusto por el colorido, supo expresar en su pintura la vida mexicana con gran esplendor. Aunque murió joven, su obra influyó en los artistas de principios de siglo. En algunas de sus pinturas, como *La ofrenda* y *La criolla del mantón*, conviven el mundo indígena y el criollo, caras mestizas e imágenes ancestrales, que muestran en su conjunto distintos rostros, paisajes y momentos históricos de nuestro país.

Ricardo Flores Magón
(1873-1922)
Político y periodista precursor de la Revolución Mexicana. Nació cerca de la ciudad de Oaxaca. Se inició en el periodismo en *El Demócrata*, diario de oposición al gobierno de Díaz. Con su hermano Jesús fundó el periódico *Regeneración*, desde el que criticó a la dictadura, por lo que fue perseguido y encarcelado. En Texas reinició la publicación de *Regeneración* junto con su hermano Enrique, y en San Luis Misuri, Estados Unidos, fundó el Partido Liberal Mexicano. En 1911 se levantó en armas en Baja California, pero no se unió a la lucha maderista. Anarquista decidido, se opuso también al gobierno de Estados Unidos, donde permaneció encarcelado hasta su muerte.

El Jefe de la Revolución, Francisco I. Madero, entrega condecoraciones a los miembros del Ejército Libertador, s/f, AGN.

Aquiles Serdán (1876-1910)

Fue el primer mártir de la revolución. Nació en la ciudad de Puebla, donde ejerció el comercio. Estuvo ligado a los trabajadores textiles de la región poblana. Antirreeleccionista, emprendió una intensa campaña de propaganda en favor de Madero. Fundó el periódico *No Reelección* y el club clandestino Luz y Progreso. Después del fraude electoral de 1910, Madero le encomendó dirigir la insurrección en Puebla. En esta ciudad, el 18 de noviembre de 1910, junto con sus hermanos Carmen y Máximo, inició la revolución en territorio nacional. Sitiado en su casa, fue muerto por las tropas del gobierno.

Pascual Orozco (1882-1915)

Revolucionario chihuahuense. Ayudó a su padre en el comercio y emprendió un negocio que le redituó buenas ganancias. Se levantó en armas en 1910 para unirse al movimiento antirreeleccionista. A pesar de la oposición de Madero, en mayo de 1911 tomó Ciudad Juárez junto con Pancho Villa. Esta batalla determinó la caída de Díaz pero lo distanció de Madero, contra quien se rebeló finalmente en 1912, acusándolo de no cumplir con el Plan de San Luis. Fue derrotado en Bachimba por las tropas de Victoriano Huerta, a quien apoyó tras la muerte de Madero. Más tarde se exilió en Texas, donde murió asesinado por los Rangers (cuerpo policial texano, famoso por sus atracos y valentía).

Victoriano Huerta (1845-1916)

Militar y presidente de la República, nacido en Colotán, Jalisco. Estudió en el Colegio Militar y participó en la guerra contra los indios mayas. Primero combatió a Zapata y a Villa, y después derrotó a Pascual Orozco, ganándose la confianza de Madero, quien durante la Decena Trágica lo nombró comandante militar de la ciudad de México. Bajo la influencia del embajador norteamericano Wilson, se volvió contra Madero, lo mandó matar y usurpó la presidencia. Durante su gobierno comenzó la segunda etapa de la revolución y el país sufrió una nueva invasión norteamericana. Derrotado, renunció en 1914 y se exilió en Europa. Fue encarcelado en Estados Unidos, donde murió.

La revolución maderista

La publicación de *La sucesión presidencial en 1910* creó en el país un clima de expectación, mientras Porfirio Díaz, ya octagenario, preparaba su séptima reelección. Francisco I. Madero, hijo de un rico hacendado de Coahuila y de ideales democráticos, se manifestaba abiertamente en contra de la dictadura porfirista. Madero organizó el Partido Antirreeleccionista e inició una campaña electoral por el país, hecho insólito en aquel entonces. Cuando la fuerza política de Madero creció, Díaz lo encarceló en San Luis Potosí y se declaró ganador en las elecciones. En la cárcel Madero redactó el Plan de San Luis, mediante el cual llamó a una rebelión armada para el 20 de noviembre de 1910. Ese día numerosos grupos se levantaron en contra de Díaz. Abraham González, Pascual Orozco y Francisco Villa se levantaron en el norte del país, y más tarde Emiliano Zapata se unió a la revuelta en el sur. Díaz renunció a la presidencia y, a seis meses de iniciada la revolución, abandonó el país. En 1911 Madero entró triunfalmente en la ciudad de México. Ese año fue nombrado presidente por abrumadora mayoría. Durante su breve gobierno, Madero se convirtió en la víctima del enfrentamiento entre intereses políticos opuestos. Sus enemigos lo atacaron ferozmente en la prensa, aprovechando la libertad de expresión garantizada por el propio presidente. Por otra parte, a los revolucionarios no les gustó que Madero dejara el ejército federal en manos de los antiguos generales porfiristas. Por ello se levantaron en armas contra él Pascual Orozco y Emiliano Zapata, quien exigía la restitución de tierras a los pueblos mediante el Plan de Ayala. Con el pretexto del caos político, los porfiristas Félix Díaz, sobrino de don Porfirio, y Manuel Mondragón se levantaron en la ciudad de México. Durante este conflicto, conocido como la Decena Trágica, Madero confió a Victoriano Huerta el mando de las tropas leales al gobierno. Huerta, con la intermediación de Henry Lane Wilson, entonces embajador norteamericano, pactó con los sublevados y capturó a Madero en Palacio Nacional.

Francisco Ignacio Madero
(1873-1913)

Presidente de México, llamado el *Apóstol de la Democracia*. Nació en Parras de la Fuente, Coahuila, y estudió en Estados Unidos y Francia. Además de administrar las propiedades familiares escribió *La sucesión presidencial en 1910*. Fundó el Partido Antirreeleccionista y encabezó la oposición política contra Díaz en 1910. Reelecto éste, llamó a la revolución en el Plan de San Luis y huyó a Estados Unidos; desde allá organizó la lucha revolucionaria que dio a fin a la dictadura porfirista. Triunfó en las elecciones presidenciales de 1911, pero traicionado por Huerta fue obligado a renunciar en 1913. Murió asesinado junto con Pino Suárez días después de la Decena Trágica.

Belisario Domínguez
(1863-1913)

Senador de la República, víctima de la dictadura huertista. Nació en Comitán, Chiapas. Estudió medicina en San Cristóbal y se especializó en Europa. De regreso a Comitán fundó el periódico *El Vate*. Fue electo presidente municipal en 1911 y al año siguiente, senador suplente. Ocupó su curul al morir el senador propietario en 1913. A la muerte de Madero criticó la usurpación de Victoriano Huerta y pretendió, sin éxito, denunciarlo en la tribuna del Senado. Sin embargo, logró imprimir sus críticas, por lo que fue aprehendido en un hotel de la ciudad de México y llevado al panteón de Coyoacán, donde fue asesinado.

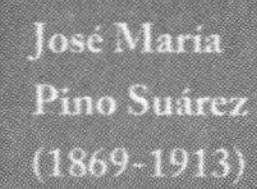

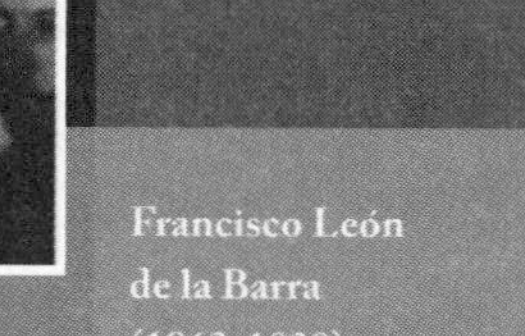

José María Pino Suárez
(1869-1913)

Vicepresidente de la República. Nació en Tenosique, Tabasco. Se recibió de abogado y ejerció su profesión en Yucatán. Ahí dirigió el periódico *El Peninsular* y se afilió al movimiento antirreeleccionista. En 1911, tras el triunfo de la revolución, fue gobernador de Yucatán. Dejó el cargo al ser elegido, por mayoría, vicepresidente de la República. Combinó esta función con la de secretario de Instrucción Pública y Bellas Artes. Fue detenido por órdenes de Victoriano Huerta, obligado a renunciar, y asesinado junto con Madero a espaldas de la penitenciaría de Lecumberri.

Francisco León de la Barra
(1863-1938)

Jurista y presidente de la República nacido en Querétaro. Fue ministro plenipotenciario en varios países. Porfirio Díaz lo designó embajador extraordinario en Estados Unidos y ministro de Relaciones exteriores en 1911. Al renunciar Díaz, ocupó la presidencia de la República de mayo a noviembre de 1911. Con Huerta se hizo cargo nuevamente de la Secretaría de Relaciones Exteriores. Fue ministro plenipotenciario en Francia, especialista en derecho internacional, cofundador de la Escuela Libre de Derecho, presidente de los Tribunales Mixtos de Arbitraje y presidente del Tribunal Arbitral Anglo-Franco-Búlgaro.

El general Francisco Villa coloca su artillería antes de la batalla de Tierra Blanca, cerca de Ciudad Juárez, Chihuahua, 1913, CORBIS.

Emiliano Zapata
(1879-1919)
Líder campesino nacido en San Miguel Anenecuilco, Morelos. Antes de la revolución comenzó su lucha en favor de la restitución de las tierras despojadas a los pueblos. Durante breve tiempo fue miembro del ejército. Apoyó a Madero contra Díaz pero después lanzó contra aquél el Plan de Ayala, donde planteó una serie de reivindicaciones agrarias bajo el grito de "Tierra y Libertad". Luchó contra el huertismo y después se unió a Villa en contra de Carranza. Entró en la ciudad de México en 1914 con las tropas convencionistas. Derrotadas éstas, Zapata fue engañado por sus enemigos y asesinado en la hacienda de Chinameca.

Francisco Villa
(1878-1923)
Caudillo revolucionario duranguense, cuyo verdadero nombre fue Doroteo Arango. Sin mayor educación, se dedicó al bandidaje, la agricultura y el comercio. Se unió al movimiento maderista y sus dotes naturales como estratega le valieron el grado de general. Junto con Orozco tomó Ciudad Juárez, lo que significó el triunfo de la revolución. Se levantó en armas contra Huerta y en 1913 formó la célebre División del Norte. Llegó a ser gobernador provisional de Chihuahua. En 1914 tomó Zacatecas y a la caída de Huerta se unió a Zapata contra Carranza. Derrotado por Obregón, huyó hacia el norte y, desesperado, invadió el territorio norteamericano. Depuso las armas durante el gobierno delahuertista; sin embargo, murió asesinado en una emboscada.

Pablo González
(1879-1950)
Militar revolucionario, nacido en Lampazos, Nuevo León. Fue peón de ferrocarril y comerciante antes de incorporarse al maderismo. Al mando del Ejército Constitucionalista del Noreste, combatió a Pascual Orozco por órdenes de Carranza. Fue nombrado general en jefe del Ejército de Oriente y ocupó la ciudad de México en 1915. Más tarde, dirigió la campaña que culminó con la muerte de Emiliano Zapata. En 1919 se rebeló contra Carranza, desconoció el Plan de Agua Prieta y lanzó su candidatura a la presidencia de la República. Fue condenado a morir por un Consejo de Guerra, pero el presidente De la Huerta lo perdonó. Salió hacia Estados Unidos en 1920 y regresó a México en 1940.

La revolución constitucionalista

Los asesinatos del presidente Madero y el vicepresidente Pino Suárez provocaron la reacción armada de los revolucionarios. Venustiano Carranza promulgó el Plan de Guadalupe en contra del dictador Victoriano Huerta. Para restablecer el orden constitucional, organizó a los levantados y creó el Ejército Constitucionalista, conformado por cuatro grandes divisiones: el Ejército del Noroeste comandado por Obregón, la División del Norte encabezada por Villa, el Ejército del Noreste al mando de Pablo González y el Ejército Libertador del Sur dirigido por Zapata. Juntos atacaron a Huerta, quien tuvo que enfrentar además la invasión de tropas norteamericanas en el puerto de Veracruz y la oposición del Congreso, cuyas cámaras disolvió con lujo de violencia. Finalmente Huerta renunció y salió al exilio en 1914. Sin embargo, la victoria del Ejército Constitucionalista no significó el final de la lucha armada. Muy pronto surgirían discordias entre los principales jefes revolucionarios: Zapata y Villa exigieron una solución inmediata a las demandas agrarias y populares, mientras Carranza y Obregón optaron por la creación de un gobierno estable y soberano que se basara en el acatamiento de las leyes. Los jefes revolucionarios se reunieron en Aguascalientes para tratar de llegar a un acuerdo, pero en esta reunión se ahondaron aún más sus diferencias. El de 1915 fue el año de las batallas, del hambre y el caos político; las tropas de ambos bandos saqueaban los campos y las ciudades, los bandidos aprovechaban el desorden para robar y asesinar. Esta situación hizo necesario que se reunieran los diputados en Querétaro para crear la Constitución que se firmó en febrero de 1917. En ella se consagraron las garantías individuales, la soberanía sobre los recursos de la nación y los derechos de campesinos y obreros.

Venustiano Carranza
(1859-1920)
Primer jefe del Ejército Constitucionalista y presidente de la República. Nació en Cuatro Ciénegas, Coahuila, donde inició su carrera política como presidente municipal. Llegó a ser gobernador interino y senador por su estado. Afiliado al antirreeleccionismo, a la muerte de Madero se opuso a Huerta y lanzó contra éste el Plan de Guadalupe en 1913. Dirigió victoriosamente la lucha contra el huertismo pero entró en conflicto con Villa, Zapata y otros jefes revolucionarios, por lo que tuvo que huir a Veracruz. Tras la derrota de Villa convocó en Querétaro a un Congreso Constituyente, el cual sancionó la Constitución de 1917. Electo presidente de la República hizo frente a la rebelión de Agua Prieta, pero abandonado por el ejército fue asesinado en Tlalxcalantongo, Puebla, cuando se dirigía a Veracruz.

Ramón López Velarde
(1881-1921)
Poeta que cantó al México provinciano e íntimo. Nació en Jerez, Zacatecas. Estudió en el seminario de Zacatecas y, posteriormente, en el Instituto de Ciencias Literarias de San Luis Potosí. Se recibió de abogado y desempeñó su profesión en El Venado, San Luis Potosí, así como en la ciudad de México, donde dio clases de literatura en la Escuela Preparatoria. Colaboró en diversos periódicos y revistas, en los que publicó una breve pero valiosa serie de ensayos y crónicas. Su obra poética se reúne en tres libros: *La sangre devota*, *El son del corazón* y *Zozobra*. Católico y nacionalista, es uno de los poetas más populares de México. "La suave patria" es su composición más famosa.

José Juan Tablada
(1871-1945)
Poeta nacido en la ciudad de México. Como muchos otros escritores, se inició en el periodismo y más tarde se desempeñó en la diplomacia. En 1900 viajó a Japón, cuyo arte y literatura lo influyeron sensiblemente. Fue segundo secretario en la embajada mexicana en Colombia y en Venezuela. Recibió el nombramiento de vicecónsul en Nueva York, pero al ingresar en la Academia de la Lengua renunció a la diplomacia e instaló una librería en aquella ciudad, donde murió. Fue un incansable promotor del arte y la literatura mexicanos por medio de revistas como *Mexican Art and Life*. A su inspiración debemos *Un día* y *Li-Po y otros poemas*, en los que experimenta con formas tradicionales de la poesía china y japonesa. Fue también un crítico mordaz de la política mexicana.

Andrés Molina Enríquez
(1868-1940)
Jurista y sociólogo promotor de la reforma agraria en México. Nació en Jilotepec, Estado de México. Comenzó su carrera periodística en diarios como *El Imparcial* y *El Reformador*. Fue profesor de etnología en el Museo Nacional y formuló severas críticas al sistema porfiriano. Su libro *Los grandes problemas nacionales*, escrito en 1909, fue la obra de sociología mexicana más penetrante de su época. En ella señaló la importancia del mestizaje y los estragos de la desigualdad social en México. En el Plan de Texcoco pidió el reparto agrario, la supresión de los jefes políticos y el mejoramiento de los salarios. Sus ideas influyeron en la ley agraria de 1915 y en la redacción del artículo 27 de la Constitución de 1917.

El Presidente Álvaro Obregón con miembros de su gabinete y otros colaboradores, entre ellos Plutarco Elías Calles, José Vasconcelos y Fernando Torreblanca, 1921, FAPECFT.

Francisco J. Múgica
(1884-1954)
Militar y político michoacano. Estudió en el seminario de Zamora y ejerció la labor periodística. Fue partidario de Bernardo Reyes y de Madero. A la muerte de éste se afilió al constitucionalismo y firmó el Plan de Guadalupe. Participó activamente en el Congreso Constituyente de 1917 y en los primeros repartos agrarios ordenados por Lucio Blanco. Fue gobernador de Tabasco, de Michoacán y de Baja California. Apoyó la expropiación petrolera decretada por Cárdenas. Fue precandidato a la presidencia de la República en 1939.

Adolfo de la Huerta
(1881-1955)
Militar y presidente de la República. Nació en Hermosillo, Sonora. Estudió contabilidad, música y canto en la ciudad de México. Se sumó a la lucha antirreeleccionista y, a la caída de Díaz, fue electo diputado local. En 1913 formó parte del grupo que acompañó a Madero al Palacio Nacional. Combatió contra Huerta y al triunfo de los constitucionalistas fue gobernador de Sonora y senador. Proclamó el Plan de Agua Prieta, que lo llevó a la presidencia provisional de la República de mayo a diciembre de 1920. Nombrado secretario de Hacienda en el gobierno de Obregón, renunció para buscar la candidatura presidencial; al no conseguirla inició una insurrección armada que le costó el exilio en Estados Unidos. Regresó al país en 1936.

Antonio Caso
(1883-1946)
Filósofo y profesor, nació en la ciudad de México. Estudió en la Escuela Nacional Preparatoria, de la que más adelante fue director, y en la de Jurisprudencia. Profesor eminente, fundó la Escuela de Altos Estudios. Fue el primer secretario de la Universidad Nacional. Junto a Gómez Robelo y Henríquez Ureña, se opuso al positivismo y fundó con ellos el Ateneo de la Juventud. Fue el primero en México en consagrarse al estudio de la filosofía e impuso la enseñanza de la misma en la Universidad, de la que fue rector de 1921 a 1923. Es autor del libro *La existencia como economía, como desinterés y como caridad* (1916). Predicó la filosofía de Bergson, que basa el conocimiento en la intuición y fue uno de los exponentes más brillantes de la cátedra didáctica.

La época de los caudillos

En 1919 Venustiano Carranza logró consolidar su poder; Estados Unidos había reconocido su gobierno y sus enemigos principales estaban vencidos: Zapata fue asesinado alevosamente en Chinameca, y Villa, derrotado por Obregón, vio reducida su gloriosa División del Norte a un puñado de fieles guerrilleros. Después de nueve años de guerra y más de un millón de muertes, la nación parecía encaminarse hacia la paz. Al terminar su mandato presidencial, Carranza quiso designar como su sucesor a un civil, el ingeniero Ignacio Bonillas, pero el general Obregón, que esperaba ser presidente, se rebeló en contra de Carranza y lanzó el Plan de Agua Prieta. El jefe del Ejército Constitucionalista trató de huir, pero fue muerto en Tlaxcalantongo, una pequeña aldea en la sierra de Puebla. No hubo oposición en las elecciones en que Obregón se postuló a la presidencia. Antes un brillante militar y ahora un político perspicaz, se dedicó a la pacificación y reconstrucción del país. El reparto agrario se puso en marcha y se establecieron jornadas de trabajo y salarios mínimos para los obreros. Sin embargo, pospuso el control de los recursos petroleros, que se encontraban entonces en manos de las compañías extranjeras, para obtener el reconocimiento de Estados Unidos. La lucha armada había creado una conciencia sobre la necesidad de la justicia social y la educación del pueblo mexicano. Obregón encargó esta última tarea a José Vasconcelos, un gran intelectual y educador que emprendió una campaña de alfabetización por todo el país. En las escuelas se promovió el orgullo por los valores nacionales y el conocimiento de las grandes obras de la cultura universal. Al acercarse el final del gobierno de Obregón, se presentó de nuevo el problema de la sucesión presidencial. El elegido fue Plutarco Elías Calles, pero su designación provocó el levantamiento de Adolfo de la Huerta y otros altos mandos del ejército. Esa inconformidad les costaría la vida a varios de los antiguos generales revolucionarios.

Álvaro Obregón
(1880-1928)

Militar y presidente de la República. Nació en la hacienda de Siquisiva, Sonora. Combatió contra Huerta y Orozco y, a la muerte de Madero, se unió al constitucionalismo. Estratega nato, pronto alcanzó la gloria militar al derrotar primero al ejército huertista y luego a Villa, en Celaya, donde perdió un brazo. En 1920 se levantó en armas contra Carranza y lanzó en su contra el Plan de Agua Prieta. Como presidente promovió importantes reformas educativas, laborales y agrarias, pero tuvo conflictos con la Iglesia. Reelecto presidente en 1928, murió asesinado en la ciudad de México antes de asumir nuevamente el cargo.

Pedro Henríquez Ureña
(1884-1946)

Escritor y filólogo, nació en Santo Domingo, República Dominicana, y llegó al puerto de Veracruz en 1906. En la ciudad de México se graduó como abogado. Como hombre de letras, filósofo y ensayista, es considerado un humanista hispanoamericano de primer orden. Viajó por Europa, el Caribe, Centro y Sudamérica y Estados Unidos, siempre concentrado en su labor de comprender y enseñar. Se sumó a casi todos los movimientos artísticos trascendentes de la América hispanohablante: desde la *Revista Moderna* en México hasta la revista *Sur* en Argentina. En México fundó la Sociedad de Conferencias y el Ateneo de la Juventud. La importancia de su obra y la influencia de sus ideas, como un resumen de los movimientos artísticos y literarios de los pueblos de América, continuarán siendo actuales para todo aquel interesado en el estudio de nuestras letras. Su libro *Las corrientes literarias en la América Hispánica* es una muestra clara de su labor.

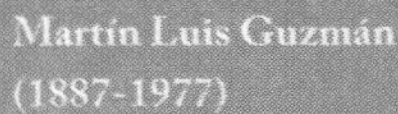

Martín Luis Guzmán
(1887-1977)

Escritor, periodista y político chihuahuense. Fue miembro del Ateneo de la Juventud. En 1911 se incorporó al maderismo y después a las filas villistas. Esta experiencia le sirvió para escribir las *Memorias de Pancho Villa*. Se exilió durante doce años en España, donde prosiguió su labor periodística y publicó algunos de sus libros. Al regresar a México fundó la revista *Tiempo*; más tarde fue elegido senador de la República. Sus obras *El águila y la serpiente* y *La sombra del caudillo* son sin duda los más vivos testimonios de la llamada "novela de la revolución mexicana", en los cuales plasmó la crueldad de la lucha y la ambición desmedida por el poder. Ingresó en la Academia Mexicana de la Lengua y obtuvo el Premio Nacional de Literatura en 1958.

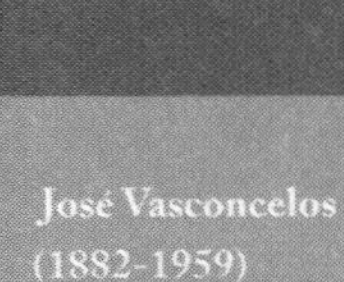

José Vasconcelos
(1882-1959)

Filósofo, político, educador y escritor oaxaqueño. Se le ha llamado el Maestro de América. Formó parte del Ateneo de la Juventud; en 1910 se afilió al maderismo y participó activamente en la revolución. Como secretario de Educación Pública y rector de la Universidad emprendió las más ambiciosas tareas de difusión educativa para los mexicanos: organizó la educación popular a través de campañas de alfabetización y ediciones masivas de los clásicos, creó bibliotecas y museos y promovió la pintura mural. Fracasó en su intento por alcanzar la presidencia de la República en 1929. Su autobiografía —*Ulises criollo*, *La tormenta*— contiene páginas de una intensidad literaria extraordinaria. Como pensador y filósofo escribió *Metafísica*, *La raza cósmica* e *Indología*. Fue fundador de El Colegio Nacional.

Plutarco Elías Calles en una bóveda del Banco de México, ca. 1925, CISFM.

Enrique Gorostieta (1889-1929)

Militar originario de Monterrey, Nuevo León. Estudió en el Colegio Militar. Sirvió a los gobiernos de Porfirio Díaz y Victoriano Huerta; participó en la defensa de Veracruz en 1914. Combatió contra Carranza y se exilió en Estados Unidos. Al estallar la guerra cristera en 1926, la Liga Nacional de Defensa de la Libertad Religiosa contrató sus servicios para organizar y dirigir al ejército de campesinos que se levantó en armas para defender la libertad religiosa. Con 25 mil soldados bajo su mando, puso en jaque al ejército callista y controló los estados de Jalisco, Michoacán, Zacatecas y Colima. Sin renunciar a su anticlericalismo, el contacto con los cristeros lo convirtió en un católico convencido. Murió a manos del ejército federal en Atotonilco, Jalisco, poco antes de lograrse los acuerdos de paz.

Saturnino Cedillo (1890-1938)

Cacique potosino. Se dedicaba a la agricultura cuando se unió a la lucha maderista; sin embargo, siguió a Pascual Orozco en su levantamiento contra Madero. Antihuertista, convencionista y anticarrancista, adoptó el Plan de Agua Prieta para después combatir la rebelión delahuertista. En 1926 luchó ferozmente contra los cristeros de Guanajuato, San Luis Potosí y Jalisco, y después fue gobernador de su estado natal. Apoyó a Lázaro Cárdenas durante su campaña presidencial. Cárdenas lo nombró secretario de Agricultura, pero en mayo de 1938 Cedillo se levantó en armas contra su gobierno. En plena retirada fue muerto por el ejército federal.

Diego Rivera (1886-1957)

Pintor nacido en Guanajuato. Fue alumno de José María Velasco en la escuela de Bellas Artes. Su obra discurre desde el academicismo hasta estilos de vanguardia como el cubismo, el cual cultivó durante su estadía en Europa. En su arte, de un realismo estilizado y gran colorido, sobresale su interés por la historia de México y por los tipos y las tradiciones populares. Formó parte esencial del movimiento muralista mexicano, dentro del cual produjo obras tan conocidas como los murales del Palacio Nacional, de la Secretaría de Educación Pública y de la Escuela de Agricultura de Chapingo. Su casa es hoy el Museo Anahuacalli, donde se conservan su estudio y una colección de piezas precolombinas. Junto con su esposa, la pintora Frida Kahlo, participó activamente en el Partido Comunista, de acuerdo con sus ideales revolucionarios.

La consolidación del poder revolucionario

Plutarco Elías Calles gobernó al país entre 1924 y 1928. Durante su gobierno comenzó a desarrollarse la infraestructura carretera y se construyeron los primeros distritos de riego en el país. Para evitar más brotes de violencia, Calles trató de controlar al ejército y a las organizaciones obreras y campesinas. Organizó la emisión de moneda única con la creación, en 1925, del Banco de México. Pugnó por la aplicación estricta de la Constitución, lo que provocó conflictos con las empresas petroleras y la Iglesia católica El cierre de escuelas privadas y seminarios y la persecución de sacerdotes provocó la lucha armada en el centro y occidente del país. Conocida como la "guerra cristera", la revuelta de hondas raíces populares no pudo ser sofocada por Calles. Al cabo de tres años, el gobierno pactó con la Iglesia. El problema de la sucesión presidencial volvió a manifestarse en 1928. Obregón quiso reelegirse nuevamente como presidente, lo que causó la rebelión y posterior ejecución del general Francisco Serrano. Vencedor en las elecciones, Obregón fue asesinado mientras celebraba su triunfo en un banquete público. Después del atentado, Calles declaró el fin de la época de los caudillos y el principio de la época de las instituciones. Para evitar más conflictos electorales, creó en 1929 el Partido Nacional Revolucionario (PNR), que aglutinó a las fuerzas políticas más fuertes de la época (obreros, campesinos y militares), y nombró presidente provisional a Emilio Portes Gil. El prestigio de los artistas e intelectuales revolucionarios se hizo evidente al postularse José Vasconcelos como candidato a la presidencia. Vencido en unas elecciones dudosas por Pascual Ortiz Rubio, el candidato de Calles y el partido, Vasconcelos tuvo que salir del país. Debido a la renuncia de Ortiz Rubio, se designó presidente a Abelardo Rodríguez, mas el poder político se encontraba todavía en manos de Plutarco Elías Calles.

Plutarco Elías Calles
(1877-1945)
Militar y presidente de la República. Nació en Guaymas, Sonora. Luchó contra Pascual Orozco y al lado de Obregón combatió a Huerta. Fue gobernador de Sonora y secretario de Estado con Carranza. Se unió al Plan de Agua Prieta y ocupó los cargos de secretario de Guerra y Marina y de Gobernación en el gobierno de Obregón. En 1924 fue electo presidente de la República. Por su política anticlerical estalló la violenta guerra cristera. Durante su gobierno se fundaron diversas instituciones, como el Banco de México. Mantuvo su influencia después de la muerte de Obregón, en calidad de Jefe Máximo de la Revolución. En 1929 fundó el Partido Nacional Revolucionario, pero en 1936 fue expulsado del país por sus diferencias con el presidente Cárdenas.

José Clemente Orozco
(1883-1949)
Pintor autodidacta. Nació en Zapotlán el Grande, Jalisco. Fue uno de los grandes muralistas mexicanos. Estudió agronomía y asistió de manera irregular a la Academia de Bellas Artes. Su obra, tanto de caballete como mural, denota su preocupación por la historia y los problemas sociales de México; su pintura está imbuida de un profundo sentido trágico, manifiesto en la gran tensión de sus composiciones y en la sobriedad de su color. Entre 1936 y 1939 realizó sus monumentales obras en el hospicio Cabañas y en el palacio de gobierno de Guadalajara, donde plasmó el drama de la conquista y a Hidalgo aboliendo la esclavitud. En el Museo de Arte Carrillo Gil se encuentran algunos de sus cuadros más importantes, como *Cristo destruye su cruz*. Recibió el Premio Nacional de Artes y Ciencias y fue miembro de El Colegio Nacional.

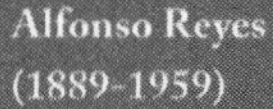

Alfonso Reyes
(1889-1959)
Escritor regiomontano, fundador del Ateneo de la Juventud. Obtuvo el título de abogado. A la muerte de su padre, el general Bernardo Reyes, se exilió en España y se dedicó enteramente a la literatura, colaborando en diversas publicaciones. En 1920 se reintegró al servicio diplomático y llegó a ser embajador en varios países. A su regreso a México obtuvo el Premio Nacional de Literatura en 1945, fundó La Casa de España en México, El Colegio de México y El Colegio Nacional. Mexicano universal, su vasta obra —que incluye poesía, cuento, teatro y ensayo— es considerada una de las más importantes de la literatura castellana contemporánea. Nos dejó páginas perfectas e inolvidables, como las que recogen *Visión de Anáhuac* o *México en una nuez*.

Silvestre Revueltas
(1899-1940)
Compositor y violinista nacido en Santiago Papasquiaro, Durango. Estudió violín en el Conservatorio Nacional de México y consolidó su formación musical estudiando composición en el Chicago Musical College. Fue discípulo de Kochansky. Junto con Carlos Chávez, organizó a principios de los años veinte un ciclo de conciertos para dar a conocer composiciones de autores contemporáneos. En 1936 fue director de la Orquesta de Alumnos del Conservatorio; posteriormente sustituyó a Carlos Chávez al frente de la Sinfónica Nacional. Ese mismo año fue secretario general de la Liga de Escritores y Artistas Revolucionarios y un año después marchó a España, donde ofreció conciertos en los frentes republicanos. A su regreso compuso música sinfónica para cine, además de ballets y canciones. De sus obras, que adquirieron reconocimiento mundial, destacan: *Redes*, *La noche de los mayas* y *Sensemayá*. Formó parte de la corriente nacionalista del arte mexicano.

Manuel Gómez Morin
(1897-1972)

Abogado y político, nació en Batopilas, Chihuahua. Fue profesor y director de la Facultad de Derecho de la UNAM. Nombrado rector de la Universidad, defendió su autonomía frente al gobierno. Formó parte del grupo de jóvenes intelectuales conocidos como los Siete Sabios. Desempeñó diversos cargos públicos: fue oficial mayor y subsecretario de Hacienda, representante financiero de México en Washington y consejero del Banco de México. Colaboró en la elaboración de las leyes que dieron origen a los bancos de México, Nacional Hipotecario, Nacional de Crédito Agrícola, así como a Nacional Financiera. En 1929 se sumó a la campaña vasconcelista por la presidencia. Dentro del sector privado fue miembro de los consejos de administración de varias empresas, como Seguros La Provincial y el Banco de Londres y México. En 1939 fundó el Partido Acción Nacional (PAN), cuya presidencia ocupó durante los primeros diez años.

Manifestación de apoyo al PNR. CISFM.

Carlos Pellicer
(1899-1977)

Poeta consagrado a celebrar la alegría del mundo, nació en Villahermosa, Tabasco, sitio de fauna y flora exuberantes presentes en sus poemas. A los ocho años llegó a la ciudad de México; estudió en la Escuela Nacional Preparatoria. Fue enviado como líder estudiantil por el gobierno de Carranza a Colombia y Venezuela, de 1918 a 1920. Dos años más tarde viajó por América acompañando a Vasconcelos. Su optimismo cristiano lo distingue entre la generación de los Contemporáneos. Junto con Salvador Novo y Xavier Villaurrutia publicó la revista *Ulises*. Fue profesor de historia en escuelas secundarias y de poesía moderna en la Facultad de Filosofía y Letras de la UNAM. En 1964 fue Premio Nacional de Literatura; formó parte de la Academia de la Lengua.

Ignacio Chávez
(1897-1979)

Médico y educador michoacano. Estudió medicina en Morelia y en México. Fue rector de la Universidad Michoacana y más tarde realizó estudios de posgrado en Francia y otros países europeos. Reconocido en todo el mundo como un gran cardiólogo, fue director de la Facultad de Medicina de la UNAM y del Hospital General de México. Fundó la Sociedad Mexicana de Cardiología y El Colegio Nacional. De 1961 a 1966 fue rector de la UNAM. En este periodo introdujo importantes reformas en la organización interna y en los planes de estudio, por lo que tuvo que enfrentar una huelga universitaria que lo obligó a renunciar. En 1966 recibió el Premio Nacional de Ciencias.

Eugenio Garza Sada
(1892-1973)

Industrial nacido en Monterrey, Nuevo León. Hizo sus estudios superiores en el Instituto Tecnológico de Massachusetts, y en Boston. A su regreso a México, entró a trabajar en la cervecería Cuauhtémoc, fundada por su padre, Isaac Garza, en 1890. Empresario de gran empuje y visión, convirtió a la cervecería en cabeza de un vasto núcleo industrial y financiero que abarcó las sociedades anónimas Vidriera de Monterrey, Hojalata y Lámina, Malta, Empaques de Cartón Titán, Cía. General de Aceptaciones y Fábricas Monterrey. Fue uno de los fundadores de Telesistema Independiente de México, S.A. Bajo su iniciativa se fundó el Instituto Tecnológico y de Estudios Superiores de Monterrey. Se distinguió por su amplio sentido humano y de justicia social al propiciar que los trabajadores de sus diversas empresas tuvieran casas, clínicas, escuelas, becas para sus hijos y otras prestaciones. Murió asesinado durante un intento de secuestro, en septiembre de 1973.

La revolución se vuelve institución

Al finalizar el periodo de Abelardo Rodríguez, Lázaro Cárdenas fue designado candidato a la presidencia de la República. Desde el comienzo de su gobierno, Cárdenas mostró una decidida voluntad de cambio. Defendió los movimientos obreros y campesinos y, con su apoyo, hizo frente al general Calles, que mostraba una actitud hostil hacia la política independiente de Cárdenas. Logró neutralizar su poder, destituyó a sus seguidores en el gobierno y, finalmente, lo expulsó del país. El régimen cardenista superó a todos los gobiernos anteriores en la aplicación de los postulados de la Revolución Mexicana, sobre todo el relativo al reparto agrario, que incluyó a más de un millón de campesinos. También la clase obrera se vio favorecida. Se crearon nuevas agrupaciones sindicales y campesinas, que fueron la base popular del partido oficial, antecesor del actual PRI. La política cultural del cardenismo puso especial énfasis en los valores nacionalistas, el indigenismo y el socialismo. En 1938 Cárdenas se enfrentó a las compañías petroleras que se negaban a negociar aumentos salariales con sus trabajadores. La actitud insolente de éstas provocó que en respuesta Cárdenas nacionalizara la industria petrolera, con un gran respaldo popular. Las naciones afectadas promovieron entonces un boicot internacional en contra de los productos mexicanos, aunque sin éxito. En 1940 Manuel Ávila Camacho fue electo presidente de la República. El nuevo régimen moderó el discurso socialista del cardenismo que había creado una fuerte oposición en diversos sectores del país. Se puso freno a la reforma agraria y se fomentó el ingreso de capitales extranjeros. La Segunda Guerra Mundial permitió el despegue económico de México, que se convirtió en proveedor de materias primas y fuerza de trabajo para las naciones aliadas, especialmente Estados Unidos.

Lázaro Cárdenas
(1895-1970)
Militar y presidente de la República. Nació en Jiquilpan, Michoacán. En 1913 se incorporó a la revolución. Apoyó a las fuerzas de la Convención de Aguascalientes, pero después se unió a Carranza. Ligado a los militares sonorenses, fue jefe de operaciones militares en Michoacán, en el istmo de Tehuantepec y en la Huasteca. Fue electo gobernador de Michoacán y secretario de Estado en los gobiernos de Pascual Ortiz Rubio y Abelardo L. Rodríguez. Siendo presidente de la República se enfrentó a Calles, a quien expulsó del país. Apoyó a la República española y en 1938 decretó la expropiación petrolera, hechos que marcarían su sexenio junto con el extenso reparto agrario que llevó a cabo.

Daniel Cosío Villegas
(1898-1976)
Economista e historiador. Nació en la ciudad de México y perteneció a la generación de los Siete Sabios, aunque no formó parte de este grupo. Después de recibirse como abogado estudió economía en Estados Unidos, Inglaterra y Francia. Más tarde se dedicó a la historia y emprendió la tarea de escribir, en colaboración con una docena de jóvenes, la *Historia moderna de México*. Fundó el Fondo de Cultura Económica y dirigió *El Trimestre Económico*. Desde 1936 promovió la llegada a México de los intelectuales españoles que se oponían al régimen de Franco. Participó en la fundación de La Casa de España, que se transformaría en El Colegio de México, institución que presidió de 1957 a 1961. Fue miembro de El Colegio Nacional y en sus últimos años se convirtió en un lúcido crítico del sistema político mexicano.

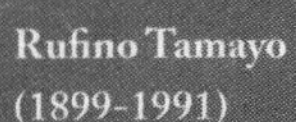

Rufino Tamayo
(1899-1991)
Pintor nacido en Oaxaca. Realizó estudios en la Academia de Bellas Artes. Fue jefe del departamento etnográfico de dibujo del Museo Nacional de Arqueología; llegó a conocer a fondo el arte prehispánico, cuyas formas surgen en sus cuadros; su pintura se caracteriza por su riqueza y luminosidad en el color y por su gran lirismo. Radicó en Nueva York algunos años y a su regreso fue maestro en la Escuela Nacional de Artes Plásticas. Su obra abarca pintura de caballete, como sus conocidos cuadros de sandías; murales, como los del Museo Nacional de Antropología y del Palacio de Bellas Artes; escultura, y una vastísima producción gráfica. Ha sido reconocido como un gran innovador del arte mexicano. En la ciudad de Oaxaca fundó el Museo Arqueológico Rufino Tamayo, que exhibe su colección de piezas prehispánicas, y en la ciudad de México, el Museo de Arte Internacional Rufino Tamayo, ubicado en Chapultepec. Fue miembro de El Colegio Nacional.

Vicente Lombardo Toledano
(1894-1969)
Político, líder obrero e intelectual nacido en Teziutlán, Puebla. Fue uno de los llamados Siete Sabios de México. Estudió en la Escuela Nacional de Jurisprudencia y se doctoró en filosofía por la Universidad Nacional. Director de la Escuela Nacional Preparatoria, fundó la Universidad Obrera y fue miembro y secretario general de organizaciones obreras, como la CTM y la CROM. Fue tres veces diputado federal y regidor del ayuntamiento de la ciudad de México. Polemizó con Antonio Caso sobre la misión de la Universidad y fundó el Partido Popular, más tarde Partido Popular Socialista; fue candidato a la presidencia de la República en 1952. Consagró su vida a la defensa de las ideas socialistas, por lo que ocupó cargos en diversas organizaciones obreras internacionales. Fue miembro fundador de la revista *Siempre!*, en la que colaboró hasta su muerte. Dirigió las revistas *El Pueblo*, *Futuro*, *El Libro* y *El Popular*, principal órgano de difusión de su partido.

Octavio Paz
(1914-1998)

Poeta y ensayista, Octavio Paz nació en la ciudad de México. En 1937 participó en Valencia en el II Congreso Internacional de Escritores Antifascistas. Fundó, junto con Efraín Huerta, la revista *Taller*, en 1938. En 1943 viajó a Estados Unidos, donde estudió la poesía moderna anglosajona. En 1945 ingresó en el cuerpo diplomático de México, lo que lo llevó a París. Ahí conoció a los surrealistas y colaboró en el movimiento. En 1962 fue nombrado embajador en la India, puesto al que renunció en 1968 por los sucesos en la plaza de las Tres Culturas. Fundó en 1971 la revista *Plural* y en 1976 la revista *Vuelta*. Su vasta obra poética, desde *Libertad bajo palabra* hasta *Árbol adentro*, se recogió bajo el título *Obra poética (1935-1988)* en 1991. Fue autor de ensayos literarios y políticos: *El laberinto de la soledad*, que analiza el ser del mexicano; *Sor Juana Inés de la Cruz o las trampas de la fe* y *El ogro filantrópico* son algunos de ellos. Recibió el Premio Cervantes en 1981 y el Nobel en 1990.

Av. Juárez desde la Alameda, ca. 1940, AGN.

Juan Rulfo
(1918-1986)

Novelista y cuentista, nació en Sayula, Jalisco. Autor de una obra breve: un libro de cuentos, *El llano en llamas* (1953); una novela, *Pedro Páramo* (1955), y una novela corta escrita como argumento para cine, *El gallo de oro* (1980). Juan Rulfo es considerado como un clásico del siglo XX, tanto en habla hispana como en otros idiomas. En 1945 publicó por primera vez sus relatos, en las revistas *América* de la ciudad de México y *Pan* de Guadalajara. Un año más tarde se estableció en la ciudad de México. En 1964 aceptó la dirección del Instituto Nacional Indigenista. Muchos son los estudios y ensayos dedicados a su obra. Recibió el Premio Nacional de Literatura en 1970, y en 1983 el Premio Príncipe de Asturias.

Pedro Ramírez Vázquez
(1919)

Arquitecto nacido en la ciudad de México. Estudió en la UNAM, donde ejerció la docencia. Ha trabajado en los sectores público y privado: fue presidente del comité organizador de los XIX Juegos Olímpicos, presidente del Comité Olímpico Mexicano, rector de la Universidad Autónoma Metropolitana, secretario de Asentamientos Humanos y Obras Públicas durante el sexenio de José López Portillo. Ha asesorado obras en Estados Unidos, Centroamérica, Europa y África. Ha proyectado, individual o colectivamente, los mercados de La Lagunilla, Tepito y Coyoacán, las oficinas del PRI, los museos de la Ciudad de México y Nacional de Antropología, los estadios Azteca y Cuauhtémoc, la nueva Basílica de Guadalupe, el palacio legislativo de San Lázaro e incontables construcciones más. Por su trayectoria profesional y académica, recibió el doctorado *honoris causa* por las universidades de las Américas y Autónoma de Guadalajara y por el Instituto Pratt de Nueva York.

Bernardo Quintana
(1919-1984)

Empresario e ingeniero nacido en la ciudad de México. Uno de los fundadores de la moderna ingeniería mexicana. Egresado de la UNAM, participó en la creación del Colegio de Ingenieros y del Instituto de Ingeniería. En 1947 fue miembro fundador de la empresa Ingenieros Civiles Asociados (ICA), que ha desarrollado infinidad de obras públicas en México, Centro y Suramérica, tales como las ciudades universitarias de México, Puebla y Guadalajara; Ciudad Satélite y las unidades Independencia y Nonoalco Tlatelolco; el Centro Médico; el Palacio de los Deportes; los centros comerciales Plaza Satélite y Plaza Universidad; el Metro de la ciudad de México y la hidroeléctrica de Chicoasén. Fue autor de medio centenar de publicaciones. Por sus logros profesionales se le otorgó el doctorado *honoris causa* de la Universidad Autónoma de Guadalajara en 1970 y el Premio Nacional de Ingeniería en 1976.

Cachorros de la revolución

Entre 1946 y 1968 México entró en una etapa de rápido crecimiento económico y estabilidad política. El país se industrializó, se construyeron numerosas carreteras y aeropuertos. Las redes telefónicas y las líneas de corriente eléctrica se extendieron por todo el país. Se alentó la empresa privada y se abrieron grandes extensiones de tierra al cultivo por riego. El mejoramiento de las condiciones de salubridad permitió el crecimiento explosivo de la población, que se duplicó en este periodo. Las escuelas primarias gratuitas lograron la educación de millones de mexicanos. La música, el cine y el turismo se convirtieron en los medios por los cuales México se dio a conocer en el extranjero. Igualmente, destacados escritores como Juan Rulfo y Octavio Paz demostraban la vitalidad de la cultura mexicana. Todos estos logros fueron conocidos en la década de los años sesenta como el "milagro mexicano". La modernización durante los periodos presidenciales de Miguel Alemán Valdés, Adolfo Ruiz Cortines, Adolfo López Mateos y Gustavo Díaz Ordaz transformó por completo a México; de una sociedad tradicional y agraria se pasó a una urbana e industrial. La clase media de las ciudades se desarrolló rápidamente y comenzó a tener un peso político que superó al de las organizaciones obreras y campesinas. Capitalistas extranjeros se establecieron en las regiones más desarrolladas del país, lo que provocó con el tiempo un crecimiento desigual de la economía. Con una población creciente y necesitada, el campo alimentó una gran corriente migratoria hacia las ciudades. Hacia el final de este periodo, la estabilidad política del país, basada en el predominio de un partido único, comenzó a ser cuestionada.

Miguel Alemán Valdés (1900-1983)

Presidente de la República nacido en Sayula, Veracruz. Estudió derecho en la Universidad Nacional. Inició su carrera política en 1935 y antes de ocupar la presidencia fue diputado, senador y gobernador de Veracruz; dirigió la campaña presidencial del general Manuel Ávila Camacho y durante su administración ocupó la Secretaría de Gobernación. Inauguró una forma de gobernar, al incorporar a su gabinete a jóvenes ingenieros y abogados que desarrollaron modernos programas de urbanización y planes económicos. La industrialización y las comunicaciones recibieron un fuerte impulso durante su gobierno. Fue miembro de la Academia Mexicana de la Lengua; recibió el doctorado *honoris causa* por las universidades Nacional Autónoma de México, de Nuevo México, de Kansas City y Columbia. Alemán fue el primer civil que ocupó la presidencia después de la revolución; con él se inicia la era del civilismo en México.

Guillermo Haro (1913-1988)

Científico nacido en la ciudad de México. Estudió en la Facultad de Ciencias de la UNAM y en el Harvard College Observatory de la Universidad de Harvard. Trabajó cerca de Luis Enrique Erro, fundador del Observatorio Astrofísico de Tonanzintla, Puebla, a quien sucedió en la dirección en 1955. Recibió el doctorado en ciencias por el Instituto Tecnológico de Cleveland. Fundó el Observatorio Astrofísico de San Pedro Mártir, en Baja California. Cofundador y presidente de la Academia de la Investigación Científica, descubrió doce estrellas nova, el cometa Haro-Chavira (1954), una nova extragaláctica y una supernova extragaláctica. Por sus aportaciones a la astronomía recibió el Premio Nacional de Ciencias y fue doctor *honoris causa* por varias universidades; en 1966 recibió la medalla Mihail Lomonosov, de la Academia de Ciencias de la URSS. Fue miembro de El Colegio Nacional.

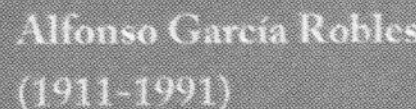

Alfonso García Robles (1911-1991)

Diplomático y pacifista michoacano nacido en Zamora. Estudió derecho en la Escuela Nacional de Jurisprudencia, y después en Francia y en La Haya, Holanda. En 1939 ingresó en el Servicio Exterior Mexicano; fue subdirector de Asuntos Políticos y del Servicio Diplomático, director en jefe para Asuntos de Europa, Asia y África, representante de México ante la ONU de 1970 a 1975. Fue embajador en Brasil y secretario de Relaciones Exteriores durante el gobierno de Luis Echeverría. Por su destacada labor en favor del desarme mundial y por ser el principal promotor del Tratado de Tlatelolco, que preserva a toda América Latina como territorio libre de armas nucleares, se le otorgó el Premio Nobel de la Paz en 1982. Fue miembro de El Colegio Nacional. Entre sus obras destacan: *México en la postguerra* (1944), *La desnuclearización de América Latina* (1965) y *México en las Naciones Unidas* (1970).

Gustavo Díaz Ordaz (1911-1979)

Presidente de la República. Nació en San Andrés Chalchicomula, Puebla. Abogado, fue juez y catedrático en el Colegio del Estado (hoy la Universidad Autónoma de Puebla), diputado, senador y secretario de Gobernación en el gabinete de López Mateos, a quien sucedió en 1964. Bajo su mandato impulsó la educación pública, la industrialización y prosiguió el programa de electrificación. Inauguró la XIX Olimpiada, el campeonato mundial de futbol y el Metro de la ciudad de México, pero tuvo que hacer frente a la crisis estudiantil de 1968 que culminó en los lamentables sucesos del 2 de octubre. Nombrado embajador de México en España, renunció poco después por motivos de salud.

Villa Olímpica, octubre de 1968,

Marcos Moshinsky
(1921-2009)
Físico. Nació en Kiev, Ucrania, y se nacionalizó mexicano en 1942. Estudió física en la UNAM, y la maestría y el doctorado, en la Universidad de Princeton. Fue miembro de El Colegio Nacional a partir de 1972. Fundó la Escuela Latinoamericana de Física en 1959. Sus tablas de paréntesis y de transformación son utilizadas en todo el mundo. Realizó estudios en torno a la estructura interna de los átomos y de las partículas subatómicas. Se le otorgaron, entre otros, el Premio de la Academia de la Investigación Científica, en 1961; el Premio Nacional de las Ciencias, en 1968; el Premio UNAM en la Investigación en Ciencias Exactas, en 1985; el Premio Príncipe de Asturias, en 1988; el Premio Interamericano de Ciencias Bernardo A. Houssay, en 1990 (OEA), y el Premio Andrei Sakharov, Medal for Human Rights URSS, en 1991. Desde 1993 se entrega anualmente una medalla con su nombre al mérito académico.

• Miguel León Portilla
(1926)
Historiador y antropólogo nacido en la ciudad de México. Se le considera la máxima autoridad actual en literatura náhuatl. En 1956 recibió el doctorado en filosofía por la Universidad Nacional Autónoma de México (UNAM). Ha sido profesor en la Facultad de Filosofía y Letras de la UNAM desde 1957, director del Instituto de Investigaciones Históricas y miembro de la Junta de Gobierno de la UNAM. Es actualmente Investigador Emérito del Instituto de Investigaciones Históricas. Entre 1974 y 1975 desempeñó el cargo de cronista de la ciudad de México. Es miembro de El Colegio Nacional desde 1971. Su obra, dedicada a las creencias, el pensamiento y la literatura de las culturas prehispánicas de México, incluye los libros *La filosofía náhuatl* (1956), *La visión de los vencidos* (1959), *El reverso de la Conquista* (1964), *Trece poetas del mundo azteca* (1967), *Nezahualcóyotl. Poesía y pensamiento* (1972) y *Tonantzin Guadalupe. Pensamiento náhuatl y mensaje cristiano en el Nican Mopohua* (2001).

• Teodoro González de León
(1926)
Arquitecto, escultor y pintor nacido en la ciudad de México. Estudió en la Escuela Nacional de Arquitectura de la UNAM. Entre 1942 y 1947 trabajó con los arquitectos Carlos Obregón Santacilia, Carlos Lazo y Mario Pani. Siendo aún estudiante participó en la elaboración del anteproyecto de Ciudad Universitaria. Becado por el gobierno francés, trabajó de 1947 a 1949 en el taller de Le Corbusier. Premio Nacional de Ciencias y Artes 1982. Doctor *honoris causa* por la UNAM en 2001. En 2005 recibió el Premio a la Vida y Obra CEMEX por su destacada trayectoria profesional. Recibió en 2008 la medalla de oro de la Unión Internacional de Arquitectos (UIA). Es miembro de El Colegio Nacional desde 1989. Su pensamiento arquitectónico parte del concepto de la "honestidad del material", la sencillez en la composición y la abstracción. Entre sus obras destacan el Museo Rufino Tamayo (1981), la sede del Fondo de Cultura Económica (1992), la sala mexicana del Museo Británico (1994), la Embajada de México en Berlín (2001) y el Museo Universitario Arte Contemporáneo (2008).

La generación de medio siglo

La represión en 1968 del movimiento estudiantil en Tlatelolco expuso algunas de las fallas del sistema político mexicano. Ante la inmovilidad del partido oficial, que había creado una estela de corrupción y descontento ciudadano, la gente comenzó a participar más en las decisiones políticas. En 1970 el presidente Luis Echeverría trató de disminuir el descontento mediante aumentos al salario de los trabajadores, la realización de grandes obras públicas y la creación de nuevos empleos dentro del gobierno. En un principio las medidas funcionaron, pero para mantenerlas fue necesario gastar más dinero del que había. El gobierno tuvo que pedir prestado a los bancos extranjeros y su deuda con ellos se triplicó. Hacia el final de su gobierno, y en medio de una crisis financiera, Luis Echeverría se vio obligado a devaluar el peso frente al dólar. El descubrimiento de grandes yacimientos de petróleo en el sur del país permitió que la economía volviera a crecer durante los primeros años de la presidencia de José López Portillo, quien continuó la política económica de Echeverría. Se subsidió a las empresas para que abarataran sus productos, se aumentó el salario de los trabajadores para mantenerlos contentos. Pero, de nuevo, se gastó más dinero del que se tenía. La deuda del gobierno creció como nunca en la historia de México. La caída de los precios del petróleo provocó una nueva crisis. La moneda se devaluó drásticamente y se llegó a suspender el pago de los intereses de la deuda externa. Para evitar la fuga del dinero que quedaba, se tuvo que nacionalizar la banca. En un clima de descontento y caos económico, Miguel de la Madrid fue electo presidente de la República.

Jorge Ibargüengoitia
(1928-1983)

Novelista, periodista y crítico, nació en Guanajuato. Estudió letras en la UNAM, donde posteriormente impartió clases de teoría dramática. Obtuvo las becas Rockefeller y Guggenheim. Es autor de una obra en la que el tema central es la farsa histórica; está considerado por la crítica como uno de los autores mexicanos más originales. Parodió en sus novelas con humor y exactitud dos periodos importantes de la historia de México: la guerra de Independencia de 1810 y la de la revolución de 1910. Rompió con la imagen nostálgica y melancólica de la provincia, y trabajó con la escandalosa realidad de la nota roja. La tradición literaria a la que se afilia su obra no es hispánica sino anglosajona. Dos de sus obras más conocidas son *Los relámpagos de agosto* y *Los pasos de López*.

Carlos Fuentes
(1928)
Novelista y ensayista, hijo de un diplomático mexicano, nació en Panamá. Estudió derecho en México y en Ginebra, Suiza. *Aura*, *La muerte de Artemio Cruz* y *Cantar de ciegos* son algunas de las obras que lo han llevado a la fama; *Los años con Laura Díaz* es uno de sus libros recientes. Carlos Fuentes es uno de los autores contemporáneos más interesados en hacer confluir el testimonio de la realidad y el mito en la escritura narrativa. Sus opiniones y sentencias han sorprendido a los críticos, despertando simpatías y rechazos contundentes. *Diana o la cazadora solitaria* y *El espejo enterrado* son una clara muestra de ello. En 1972 recibió el Premio Nacional de Literatura y en 1988 el Premio Cervantes.

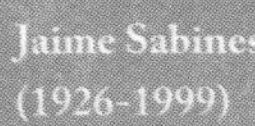

Jaime Sabines
(1926-1999)
Poeta. Nació en Tuxtla Gutiérrez, Chiapas. Durante tres años siguió la carrera de medicina, pero se graduó en lengua y literatura hispánicas en la UNAM. Es autor de una obra poética con gran resonancia en Hispanoamérica, tanto por su lenguaje apasionado como por la naturalidad de sus metáforas eróticas. Su obra ha sido traducida a más de doce idiomas y su influencia en la poesía mexicana de este fin de siglo es notoria. Escribió su poema más célebre, "Algo sobre la muerte del mayor Sabines", a propósito de la muerte de su padre. Su libro *Nuevo recuento de poemas* ha sido constantemente reeditado y ampliado. Recibió los premios Xavier Villaurrutia y Nacional de Letras, así como la medalla Belisario Domínguez que otorga el Senado de la República.

Ruy Pérez Tamayo
(1924)
Nació en Tampico, Tamaulipas. Estudió medicina en la UNAM, en la Universidad de Washington, en San Luis Misuri, y en el Instituto Politécnico Nacional de México; se especializó en inmunología y patología. Ha combinado el ejercicio de su profesión médica con una importante tarea de investigación y divulgación del saber científico, así como con la dirección de diversas instituciones. Es autor de varios libros, como *Inmunopatología*, que le han valido ser miembro de la Academia de la Lengua y de El Colegio Nacional. Ha recibido diversos reconocimientos, entre ellos el Premio Nacional de Ciencias en 1974 y el Premio Nacional de Historia y Filosofía de la Medicina, en 1995. Ha realizado investigaciones en torno a la amibiasis, enfermedad muy extendida en México, y también trabajos sobre el metabolismo del tejido conjuntivo en varios procesos de fibrosis en hígado, pulmón y riñón.

• José Emilio Pacheco
(1939)
Poeta, ensayista y novelista nacido en la ciudad de México. Inició su carrera como escritor en 1956, en la revista *Medio Siglo*. Fue editor del suplemento "Ramas Nuevas" de la revista *Estaciones*. Ejerció como secretario de redacción de la *Revista de la Universidad de México* entre 1959 y 1969, y fue director de la Biblioteca del Estudiante Universitario, de la UNAM. En su obra destacan los poemarios *Los elementos de la noche* (1963), *Los trabajos del mar* (1984) y *Ciudad de la memoria* (1989). También ha publicado las novelas *Morirás lejos* (1967) y *Las batallas en el desierto* (1981), así como los libros de cuentos *La sangre de medusa* (1958) y *El viento distante* (1963). Recibió en 1973 el premio de poesía Xavier Villaurrutia. En 1980 le fue otorgado el Premio Nacional de Periodismo y en 1992 el Premio Nacional de Literatura. Es miembro de El Colegio Nacional desde 1986.

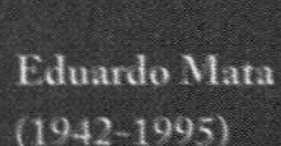

Marcha zapatista

Vicente Rojo
(1932)
Pintor nacido en Barcelona, España, donde estudió escultura y cerámica. A los 17 años llegó a México y estudió pintura en la Escuela de Pintura, Grabado y Escultura La Esmeralda, y con el maestro Arturo Souto. Durante más de cuarenta años, además de su extenso trabajo como pintor y escultor, ha destacado en el diseño gráfico, sobresaliendo en el diseño editorial, por su formación de nuevos diseñadores y por sus colaboraciones en los más renombrados periódicos, suplementos y revistas de México. En 1991 recibió el Premio Nacional de Arte y el Premio México de Diseño. Su obra plástica se caracteriza por el rigor; está ubicada en la abstracción, a partir de formas simples y signos, elementos armonizados en planos de color que siguen ritmos recurrentes, trabajados con gran sentido del equilibrio y la unidad. Desde 1995 es miembro de El Colegio Nacional. En 1996 se realizó una importante muestra retrospectiva de su pintura y escultura en el Museo de Arte Moderno de la ciudad de México.

Eduardo Mata
(1942-1995)
Compositor y director de orquesta. Nació en la ciudad de México. Desde muy joven inició su formación artística. Realizó estudios en el Conservatorio Nacional de Música; tuvo su primera aparición en público a los 16 años junto al tenor Plácido Domingo. Alumno del famoso compositor Carlos Chávez, compuso varias sonatas y sinfonías, así como arreglos musicales y suites. Miembro de El Colegio Nacional desde 1984, se le ha considerado como el mejor compositor mexicano de este siglo. Durante dos décadas dirigió diversas orquestas sinfónicas de Estados Unidos y Europa, donde demostró su gran talento musical. Murió en un accidente de aviación cuando era director emérito de la Orquesta Sinfónica de Dallas.

Manuel Peimbert
(1941)
Astrofísico nacido en la ciudad de México. Estudió en la UNAM y en la Universidad de Berkeley, California. Pertenece a El Colegio Nacional y a la Royal Astronomical Society. Por sus trabajos sobre la naturaleza de los gases en el espacio exterior y los procesos de origen de las estrellas, obtuvo el Premio Nacional de Ciencias y Artes en 1981. Sus contribuciones al conocimiento de la naturaleza en el área de la astronomía se concentran en las propiedades de la materia entre las estrellas; realiza estudios sobre las nubes de gas cercanas a estrellas calientes como las nebulosas planetarias y regiones dentro y fuera de nuestra galaxia; también investiga núcleos de galaxias y remanentes de supernovas. Ha recibido muchos reconocimientos, tanto nacionales como internacionales.

Fin de siglo

A partir de 1982, el gobierno mexicano puso de relieve las fallas de un modelo de desarrollo basado en la protección oficial de las empresas nacionales y el gasto excesivo del gobierno. Miguel de la Madrid tuvo que enfrentarse a todos los problemas derivados de la crisis: redujo el gasto gubernamental, suprimió subsidios y recortó el número de empleados públicos. Gran parte del dinero ahorrado con estas medidas se utilizó para pagar los intereses de la deuda bancaria, razón por la cual la economía no creció, el peso se devaluó aún más y aumentaron las penurias de la gente. Se incrementó el número de mexicanos que tratan de cruzar la frontera con Estados Unidos en busca de empleos bien pagados, lo que causó fricciones con el vecino del norte. Otro problema aún no resuelto es el poder y la riqueza crecientes de los grupos de narcotraficantes que fomentan la corrupción y la delincuencia en el país. En las elecciones de 1988 el candidato oficial, Carlos Salinas de Gortari, accedió al poder a pesar de una oposición fuerte y bien organizada. Salinas siguió con la política de ahorro de su antecesor; junto con un joven equipo de economistas, logró reducir la inflación y renegociar las obligaciones contraídas con los bancos. La economía mexicana volvió a crecer lentamente y se abrió a la competencia con el exterior. A principios de 1994 entró en vigor un tratado de libre comercio con Estados Unidos y Canadá (conocido por sus siglas como TLC), que permite que los productos mexicanos puedan venderse sin impuestos adicionales en esos países. Ésta ha sido una época de cambios acelerados en la que los últimos avances de la ciencia y la tecnología coexisten con comunidades aisladas y necesitadas de educación.

Mario José Molina H.
(1943)
Químico nacido en la ciudad de México. Realizó estudios de ingeniería química en la UNAM; un posgrado sobre cinética de polimerización en la Universidad de Friburgo, Alemania, en 1967; el doctorado en Fisioquímica en la Universidad de Berkeley, California, en 1972. Es investigador científico del Jet Propulsion Laboratory de la NASA y profesor de química atmosférica en el Instituto Tecnológico de Massachusetts. Es el autor principal (con Crutzen y Rowland) de la teoría del agotamiento del ozono por influencia de los fluoroclorometanos, publicada en 1974. Este descubrimiento causó conmoción en el ámbito científico mundial y originó el acuerdo para la protección de la capa de ozono auspiciado por la ONU y firmado en Montreal, Canadá, en 1987. Ha recibido numerosos reconocimientos y premios. En 1995 recibió junto con Rowland y Crutzen el Premio Nobel de Química, por su trabajo en química atmosférica.

Francisco Bolívar Zapata
(1948)
Químico nacido en la ciudad de México. Estudió en la UNAM; realizó un posdoctorado en ingeniería genética molecular en la Universidad de San Francisco y en la compañía Genetech, en la misma ciudad. Es pionero en el área de la biología molecular y la biotecnología. Sus contribuciones han sido en el desarrollo de vehículos moleculares para la clonación y expresión de material genético y en el aislamiento, caracterización y manipulación de genes y vías metabólicas de interés básico e industrial. Fue miembro del grupo de investigadores que en los Estados Unidos, en 1977, logró por primera vez la producción de proteínas humanas (somatostina e insulina) en bacterias, con técnicas de ingeniería genética. Ha recibido importantes premios, entre ellos: el Premio Universidad Nacional y el Nacional de Ciencias y Artes. Es miembro de El Colegio Nacional.

René Drucker Colín
(1937)
Médico cirujano y neurofisiólogo, nacido en la ciudad de México. Estudió en la UNAM y posteriormente en Canadá y los Estados Unidos. Es pionero en el campo de los implantes de tejidos celulares en el cerebro. Junto con Ignacio Madrazo perfeccionó un tratamiento para curar el mal de Parkinson, por lo que recibió el Premio Nacional de Ciencias en 1987. Descubrieron que la glándula suprarrenal de donadores sirve para elaborar un cultivo de células en laboratorio, que se pueden introducir en el cráneo de una persona a través de un pequeño orificio, en una operación con anestesia local, y a las dos horas de concluida puede salir el paciente por su propio pie. Esta cirugía reduce enormemente los síntomas de esta enfermedad y el riesgo quirúrgico. Ha recibido a lo largo de su carrera importantes premios y distinciones.

Carlos Monsiváis
(1938)
Periodista, escritor y cronista, nació en la ciudad de México. Estudió economía y letras en la UNAM. Dirigió *La Cultura en México*, suplemento cultural de la revista *Siempre!* Ha ejercido el magisterio en universidades extranjeras y en la Universidad Nacional Autónoma de México. Gracias a la agilidad de sus crónicas urbanas y a su ironía, sus libros son memoria viva de los últimos decenios del siglo XX en la ciudad de México. Ha guardado una postura crítica ante la cultura oficial; sus reportajes son fuente indispensable para la historia reciente. A la ciudad de México ha dedicado libros como *A ustedes les consta* y *Amor perdido*. Ha recibido, entre otras distinciones, el Premio Nacional de Periodismo.

IDENTIFICACIÓN DE IMAGEN

PRESENTACIÓN
Alegoría del Escudo Nacional con el emblema de las artes, Jesús Corral, 1844, óleo sobre tela, CIMNI, AB.

ORÍGENES DE MESOAMÉRICA
Mural que se encuentra en la Sala Introducción a la Antropología, José Chávez Morado, 1964, CIMNH.
Primeras huellas del hombre en México: *Puntas de flecha hechas de sílex y obsidiana*, 5,200- 2,200 a. C., Sierra de Tamaulipas, AFR.
La época de los cazadores: *Escena de la caza del venado*, pintura rupestre, Cuevas de la Sierra de San Francisco, Baja California, AC.
Los orígenes de la agricultura: "Cosecha del maíz", *Códice Florentino*, BML, AS.
Las primeras aldeas: Ilustración de Magdalena Juárez.
La cultura olmeca: *Cabeza olmeca encontrada en San Lorenzo*, Preclásico Medio, CNCA-INAH, AFR.
La Venta: *Columnas de basalto del Conjunto A*, Preclásico Medio, AFR.
Cuicuilco: *Pirámide de Cuicuilco*, Epiclásico, AM.

LAS PRIMERAS CIVILIZACIONES DE MÉXICO
Recreación de la pirámide del centro ceremonial de Cuicuilco en el Preclásico Tardío, sin fecha, CIMNA.
Culturas occidentales de México: *Figurilla antropomorfa*, silbato, Colima, Clásico Temprano, CIMNA, AFR.
Palenque: *Conjunto de El Palacio*, Clásico Temprano, ESS, ARS.
El Tajín: *Pirámide de los Nichos o Edificio 1*, Epiclásico, AFR.
Pacal: *Cabeza de estuco encontrada en su tumba*, Clásico Tardío, AM.
Teotihuacan: *Pirámide y Plaza de la Luna*, Preclásico Tardío - Clásico Temprano, AFR.
Monte Albán: *Plaza Central de Monte Albán*, Preclásico Tardío, AM.
Murales de Bonampak: *Cielo Ave Muán festeja su victoria en la batalla*, Clásico, *National Geographic*, 1995.

LA ÉPOCA DE LOS IMPERIOS
Fiestas y ceremonias. Cultura Totonca, Diego Rivera, 1950, pintura al fresco, PNM-INBA.
Ce-Ácatl Topiltzin Quetzalcóatl: *Códice Borbónico*, Austria, Academia Druck, 1973, CIMNA.
Cacaxtla: *Fragmento del Mural de la Batalla*, Epiclásico, JPA.
Xochicalco: *Pirámide de las Serpientes Emplumadas*, Epiclásico, AFR.
Tula: *Templo de los Guerreros*, Posclásico Temprano, AM.
Chichén-Itzá: *Pirámide de Kukulcán*, Posclásico Temprano, AFR.
Mitla: *Edificio del Grupo de las Columnas*, Posclásico, JPA.
Tzintzuntzán: *Basamentos piramidales conocidos como Yácatas*, Posclásico Tardío, AFR.

LOS PUEBLOS INDÍGENAS A LA LLEGADA DE LOS ESPAÑOLES
La gran Tenochtitlán vista desde el mercado de Tlatelolco, Diego Rivera, 1950, pintura al fresco, PNM-INBA.
Coyolxauqui: Cultura mexica, Posclásico, CIMTM, ASP.
Tulum: *Ruinas de Tulum* sobre el Mar del Caribe, Posclásico, AFR.
Tlacaélel: Miguel León Portilla, *Los antiguos mexicanos a través de sus crónicas y cantares*, México, FCE, 1961, CIBNAH.
Cholula: *Sección reconstruida de la Gran Pirámide de Cholula*, Posclásico Temprano, FG.
Moctezuma Xocoyotzin: *Genealogía de la casa de Moctezuma*, ilustración en pergamino, 1791, AGN, MN.
Tenochtitlán: *Tzompantli.* Altar de cráneos antropomorfos, Posclásico Tardío, AFR.
Cempoala: *Edificio de la Plaza Central de Cempola*, Posclásico, AM.

LAS EXPLORACIONES GEOGRÁFICAS EUROPEAS
Mapa del mundo, Kaevio, 1607, AR.
Los Reyes Católicos: *La recepción de Cristóbal Colón por Fernando II de Aragón e Isabel de Castilla*, Eugene Deveria, sin fecha, óleo sobre tela, AR.
Cristóbal Colón: *Retrato de un hombre que se dice es Cristóbal Colón*, Sebastiano del Piombo, 1519, óleo sobre tela, MMA.
Hernando de Magallanes: *Hernando de Magallanes*, anónimo, 1787, óleo sobre tela, MNM.
Américo Vespucio: anónimo, siglo XVI, grabado, CP.
Vasco Núñez de Balboa: en *El Océano Pacífico del Siglo XVI*, Madrid, Ediciones de la Revista de Occidente, 1972, CEHM.
Federico Hernández de Córdoba: en *Enciclopedia de Historia de México*, tomo V, México, Ed. Salvat, 1978, CP.
Juan de Grijalva: en *México a través de los siglos*, México, Ballesca y Cía. edit., 1888, BNM.

LA OCUPACIÓN MILITAR ESPAÑOLA
La fusión de dos culturas, Jorge González Camarena, 1963, acrílico sobre tela, CIMNH, AB.
Hernán Cortés: anónimo, 1529, óleo sobre tela, CDI, JH.
Cuitláhuac: "Cuitlaotzin", *Códice Florentino*, BML, AS.
Cuauhtémoc: *La rendición de Cuauhtémoc*, Joaquín Romero, 1893, óleo sobre tela, PR-OPN, JIGM.
Pedro de Alvarado: en *El Museo Mexicano*, México, imp. Cumplido, 1843, BARPE.
Nuño Beltrán de Guzmán: en *El lienzo de Tlaxcala*, edición de Próspero Cahuantzi, México, Librería Ant. GM Echániz, 1939, CIBNAH.
Bernal Díaz del Castillo: Niceto de Zamacois, *Historia de México desde sus tiempos más remotos hasta nuestros días*, Barcelona, edit. J. F. Parrés y Cía, 1878, BM.
Francisco de Montejo: Guillermo H. Prescott, *Historia de la Conquista*, México, imp. V, G. Torres, 1844, BM.

LA EVANGELIZACIÓN
El bautizo de Cuauhtémoc, José Vivar y Valderrama, óleo sobre tela, s. XVIII, CIMNH, AB.
Fray Pedro de Gante: anónimo, siglo XVII, óleo sobre tela, CIMNH.
Fray Toribio de Benvanete: anónimo, sin fecha, óleo sobre tela, SSG.
Fray Juan de Zumárraga: anónimo, finales del siglo XVI, óleo sobre tela, CIMNH, JH.
Fray Bartolomé de las Casas: Félix Parra, 1875, óleo sobre tela, MUNAL.
Vasco de Quiroga, anónimo, s. XVII, óleo sobre tela, CM.
Fray Bernardino de Sahagún: Cecil O'Gorman, s. XVII, óleo sobre tela, CIMNH, JV.
Fray Diego de Landa: grabado realizado a partir de un óleo anónimo del s. XVI, BNM.

LA EXPANSIÓN DE LA NUEVA ESPAÑA
Mapa de la Nueva España, Abraham Ortelius, 1579, Amberes, Bélgica, MA.
Cristóbal de Olid: Guillermo H. Prescott, *Historia de la Conquista*, México, imp. V, G. Torres, 1844, BM.
Fray Marcos de Niza: Cleve Hallenbeck, *The Jouney of Fray Marcos de Niza*, 1949, CIBNAH.
Francisco Vásquez de Coronado: Litografía, BUEP.
Álvar Núñez Cabeza de Vaca: grabado, s. XIX, CP.
Andrés de Urdaneta: en *Urdaneta y el tornaviaje*, Enrique Cárdenas, México, Secretaría de Marina, 1965, CIMNA.
Sebastián Viscaíno: en *The west coast of México*, Mexico's west coast magazine, Los Ángeles, California, CEHM.
Fernando de Tapia, Conín: Escultura, ST.

LA SOCIEDAD NOVOHISPANA DEL SIGLO XVI
Códice de Tlatelolco: *Inicio para las nuevas obras de la Catedral de México. Figuran el virrey Velasco, el arzobispo Montúfar y caciques* (detalle), *ca.* 1565, tira de papel amate, INAH, BS.
Minas de Guanajuato: Antonio García Cubas, *Atlas geográfico y estadístico de los Estados Unidos Mexicanos*, México, Debray, 1866, BNM.
Luis de Velasco: Manuel Rivera Cambas, *Los gobernantes de México*, México, imp. M. R. Cambas, 1870, BNM.
Martín Enríquez de Almanza: anónimo, 1568, óleo sobre tela, MZ.
Juan de Oñate: Marc Simmons, *The last conquistador*, Estados Unidos, Oklahoma press, Norman, 1991, BDCV.
Fray Diego de Valadés: Detalle del mural de Hernández Xochiotzin, Apizaco, Tlaxcala.
Antonio de Mendoza: Diego de Planes y Avellán, 1535, acuarela, CIMNH.
San Felipe de Jesús: anónimo, s. XVII, óleo sobre tela, CIMG.

LA ETAPA BARROCA
Traslado de la imagen y estreno del Santuario de Guadalupe (detalle), Arellano, 1709, óleo sobre tela, CP, MZA.
Virgen de Guadalupe: Tomás Julián, finales del s. XVIII, óleo sobre tela, CIMNH, AB.
Catedral Metropolitana: en *México y sus alrededores*, México, Decaen, lito. Castro, 1856, BARPE.
Juan Ruiz de Alarcón, J. Lauro Carrillo, 1951, óleo sobre tela, CIMNH, AM.
Antonio Sebastián de Toledo: en *México a través de los siglos*, México, Ballesca y Cía. edit., 1888, BNM.
Carlos de Sigüenza y Góngora: en *Historia crítica de la literatura y de las ciencias en México, desde la conquista hasta nuestros días*, México, Librería de la enseñanza, Lit. E. Moreau, 1885, BARPE.
Juan de Palafox y Mendoza: *Retrato del arzobispo y virrey Juan de Palafox y Mendoza y Armendáriz*, anónimo, s. XVII, óleo sobre tela, CHASCC, BS.
Sor Juana Inés de la Cruz: Juan de Miranda, 1680-1688, óleo sobre tela, RUNAM.

EL SIGLO DE LAS LUCES
El Almacén, Miguel Jerónimo Zendejas, 1797, óleo sobre madera, CIMNH, AB.
Juan Vicente Güemes Pacheco: *Virrey Don Juan Vicente Güemes y Pacheco de Padilla, segundo conde de Revillagigedo*, anónimo, s. XVIII, óleo sobre tela, CBNM, RD.
Eusebio Francisco Kino: F. Ibarra de Anda, *El padre Kino, misionero y gobernante*, México, Ediciones Xóchitl, 1945, BDVC.
José de la Borda: anónimo, siglo XVIII, óleo sobre tela, PSP.
Antonio María de Bucareli: anónimo, s. XVIII, óleo sobre tela, CIMNH, JV.
Diego José Abad: Dominique Homine, *De doo*, Cessena, 1780, BNM.
Manuel Tolsá: Rafael Ximeno y Planes, s. XVIII, óleo sobre tela, APV.
Andrés Manuel del Río: J. Lauro Carrillo, copia del original de Ximeno y Planes, 1952, óleo sobre tela, CIMNH, AB.

ANTECEDENTES DE LA INDEPENDENCIA
"Colegio de San Nicolás", en *México a través de los siglos*, México, Ballesca y Cía. edit., 1888, BNM.
Francisco Xavier Clavijero: Giovanni, s. XIX, óleo sobre tela, CIMNH, JV.
Francisco Eugenio Tresguerras: en *Hombres ilustres de México*, México, lit. Iriarte, 1875, BARPE.
Juan Antonio de Riaño y Bárcenas: grabado, s. XIX, CP.
Alexander Von Humboldt: Friederich Georg Weitsch, 1806, óleo sobre tela, SMB.
José de Iturrigaray: anónimo, s. XIX, óleo sobre tela, CIMNH.
Napoleón Bonaparte: Evert A. Duyckynck, *Portrait Gallery of eminent men and women of Europe and America*, New York, Johnson, Wilson and Co., 1873, CISMB, MN.
Josefa Ortiz de Domínguez: anónimo, óleo sobre tela, 1807, CIMNH, AB.

LA REVOLUCIÓN DE INDEPENDENCIA
"Batalla del Monte de las Cruces", Olavarría y Ferrari, *Episodios históricos mexicanos*, Barcelona, J.F. Parrés, 1886, BNM, AB.
Miguel Hidalgo y Costilla: anónimo, s. XIX, UG, JV.
Ignacio Allende: Ramón Pérez, 1865, óleo sobre tela, PNM-SHCP.
Juan Aldama: litografía de Santiago Hernández, s. XX, BARPE, JV.
Juan Ruiz de Apodaca, J. Arias Favila, 1819, óleo sobre tela, CIMNH.
Francisco Xavier Mina: en *El libro rojo*, México, 1870, Díaz de León y White, BNM.
Félix María Calleja: anónimo, siglo XX, óleo sobre tela, MJMMP, AE.
José María Morelos y Pavón: Petronilo Monroy, 1865, óleo sobre tela, PNM-SHCP, PO.

CONSUMACIÓN DE INDEPENDENCIA Y PRIMER IMPERIO
Entrada del Ejército Trigarante, dibujo de F. Bastin, litografía de Michaud y Thomas, México, s. XIX, CIMRG, VG.
Vicente Guerrero, anónimo, s. XIX, óleo sobre tela, CIMNI, JV.
Agustín de Iturbide: Petronilo Monroy, 1856, óleo sobre tela, AR.
Juan de O'Donojú: anónimo, s. XX, óleo sobre tela, CIMNH, JV.
Nicolás Bravo: José Inés Tovilla, *ca.* 1920, óleo sobre tela, CIMNH, RG.
Carlos María de Bustamante: autor desconocido, s. XIX, óleo sobre tela, CIMNH, RG.
Andrés Quintana Roo: José Inés Tovilla, 1911, óleo sobre tela, CIMNH.
Fray Servando Teresa de Mier: anónimo, s. XIX, óleo sobre tela, CIMNH.

EL MÉXICO DE SANTA ANNA
Battle of San Jacinto, Mc Ardle, Henry Arthur, 1895, óleo sobre tela, CSPBA.
José María Luis Mora: anónimo, s. XIX, óleo sobre tela, CIMNH, AB.
Guadalupe Victoria: anónimo, 1825, óleo sobre tela, CIMNH, RG.
Anastasio Bustamante: anónimo, 1911, óleo sobre tela, CIMNH, RG.
Lucas Alamán: Lauro Carrillo, 1959, óleo sobre tela, CIMNH.
Valentín Gómez Farías, Rubén Mora, 1835, óleo sobre tela, CIMNI, AB.
Joaquín Fernández de Lizardi: en *El periquillo sarniento*, México, 1842, BNM, AB.
Antonio López de Santa Anna: autor desconocido, s. XIX, óleo sobre tela, CIMNI, JV.

LAS INVASIONES NORTEAMERICANAS
The occupation of the capital of Mexico by the American army, Daval, P.S., Schuessele, litografía coloreada a mano, 1847, AAS.
Joel R. Poinsett: México, 1825-1828. *The Journal and correspondance of Eduard Thorton Taylor*, edit. Harvey Gardiner, 1959, The University of North Carolina Press, CEHM.
Stephen Austin: J. Lauro Carrillo, 1936, óleo sobre tela, CIMNH, AB.
Lorenzo de Zavala: anónimo, s. XIX, óleo sobre tela, CIMNH.
Zachary Taylor: en *History of the United States*, New York, Johnson, Fray and Company, 1866, MCISMB, JIGM.
Winfield Scott: George Catlin, sin fecha, óleo sobre tela, NYHS.
Pedro María Anaya: A. Núñez, sin fecha, óleo sobre tela, CIMNI, JH.
José Joaquín Herrera: José Inés Tovilla, 1920, CIMNH, GF.

LA REFORMA
Ataque a Guadalajara el 29 de octubre de 1860, Francisco de Paula Mendoza, 1861, óleo sobre tela, CIMRG.
Benito Juárez: José Escudero y Espronceda, 1872, óleo sobre tela, RHBJ.
Félix Zuloaga: Tarjeta de visita, CISFM.
Ignacio Comonfort: José Inés y Tovilla, 1918, óleo sobre tela, CIMNH, AB.
Melchor Ocampo: Manuel Ocaranza, 1874, óleo sobre tela, CSNH.
José María Iglesias: anónimo, 1872, óleo sobre tela, CIMNH, AB.
Ponciano Arriaga: BARPE.
Juan Álvarez: Carla Avevara, 1853, óleo sobre tela, CIMNH, VG.

LA INTERVENCIÓN FRANCESA
Ataque del general Bazaine al fuerte de San Javier en Puebla, 29 de marzo de 1963, Jean Adolphe Beaucé, 1867, óleo sobre tela, CVT.

Maximiliano de Habsburgo: Albert Graefle, 1865, óleo sobre tela, CIMNH.
Napoleón III: Evert A. Duyckynck, *Portrait Gallery of eminent men and women of Europe and America*, New York, Johnson, Wilson and Co., 1873, CISMB, MN.
Ignacio Zaragoza: anónimo, s. XIX, grabado, AGN, BN.
Mariano Escobedo: anónimo, s. XIX, óleo sobre tela, CIMNH, AB.
Aquiles Bazaine: Tarjeta de visita, CISFM.
Leonardo Márquez: Jean Adolphe Beaucé, 1865, óleo sobre tela, CIMNH, AB.
Miguel Miramón: Jesús Corral, 1859, óleo sobre tela, CIMNH, AB.

LA REPÚBLICA RESTAURADA

Inauguración del ferrocarril de Puebla, anónimo, s. XIX, óleo sobre tela, CIMNH.
Sebastián Lerdo de Tejada: anónimo, s. XIX, óleo sobre tela, CIMNH, AB.
Ignacio Manuel Altamirano: Santiago Rebull, s. XIX, óleo sobre tela, CIMNH.
Ignacio Ramírez: Grabado realzado con carbón, RHBJ, AB.
José María Vértiz: CISFM.
Gabino Barreda: CISFM.
Manuel Lozada: CISFM.
Ramón Corona: Tarjeta de visita, CJIC.

LA PACIFIACIÓN PORFIRIANA

Alameda Central, C. B. Waite, 1904, AGN, GG.
Vicente Riva Palacio: anónimo, s. XIX, óleo sobre tela, CIMNH.
Manuel González: Ramón Isaac Pérez, 1882, óleo sobre tela, CIMNH, AB.
Justo Benítez: CISFM.
Manuel Payno: en *México a través de los siglos*, México, Ballesca y Cía. edit., 1888, BNM.
Porfirio Díaz: J. Obregón, 1883, óleo sobre tela, PMO.
Manuel Orozco y Berra: CISFM.
José María Leyva, Cajeme: CISFM.

LA ÉPOCA DE ORDEN Y PROGRESO

Interior del pabellón mexicano en la Exposición Universal de París de 1889, G. Bordeuse, 1889, acuarela sobre papel, CIMNH, OD.
José María Velasco: José Pin, México, 1874, óleo sobre tela, CIMNH.
José Yves Limantour: CISFM.
Manuel Gutiérrez Nájera: CISFM.
Matías Romero: Ildefonso Estrada Zenea, *Manual de gobernadores y jefes políticos*, México, 1878, CJIC
Luis Terrazas: CISFM.
Justo Sierra; CISFM.
Bernardo Reyes: CISFM.

EL OCASO DEL PORFIRIATO

Porfirio Díaz, Porfirio Díaz Ortega y su Estado Mayor, *ca.* 1904, CERG.
Porfirio Díaz: AGN, AB
Amado Nervo: CISFM.
Enrique C. Creel: CISFM.
Francisco Bulnes: en *El verdadero Juárez y la verdad sobre la intervención y el Imperio*, París, México, Librería de la Vd. de Ch. Bouret, 1904, BNM.
José Guadalupe Posada
Saturnino Herrán: CISFM.
Ricardo Flores Magón: CISFM.

LA REVOLUCIÓN MADERISTA

El Jefe de la Revolución, Francisco I. Madero, entrega condecoraciones a los miembros del Ejército Libertador, AGN, AB.
Francisco Ignacio Madero: CISFM.
Aquiles Serdán: Retrato donado por la profesora Velasco Meza, MRSC.
Pascual Orozco: CISFM.
Victoriano Huerta: CISFM.
Belisario Domínguez: Zorrilla, 1918, óleo sobre tela, CIMNH.
José María Pino Suárez: CISFM.
Francisco León de la Barra: CISFM.

LA REVOLUCIÓN CONSTITUCIONALISTA

El general Francisco Villa coloca su artillería antes de la batalla de Tierra Blanca, cerca de Ciudad Juárez, Chihuahua, 1913, CORBIS.
Venustiano Carranza: CISFM.
Emiliano Zapata: CISFM.
Francisco Villa: CISFM.
Pablo González: CISFM.
Ramón López Velarde: en *Revista de revistas*, 1936, FFCE.
José Juan Tablada: CISFM.
Andrés Molina Enríquez: CISFM.

LA ÉPOCA DE LOS CAUDILLOS

El Presidente Álvaro Obregón con miembros de su gabinete y otros colaboradores, entre ellos Plutarco Elías Calles, José Vasconcelos y Fernando Torreblanca, 1921, FAPECFT.
Álvaro Obregón: FAPECFT.
Francisco J. Mújica: *ca.* 1945, CCEM.
Adolfo de la Huerta: foto Casasola, *ca.* 1925, FAPECFT, LR.
Antonio Caso: CISFM.
Pedro Henríquez Ureña: CISFM.
Martín Luis Guzmán: CISFM.
José Vasconcelos: *ca.* 1922, AFC.

LA CONSOLIDACIÓN DEL PODER REVOLUCIONARIO

Plutarco Elías Calles en una bóveda del Banco de México, *ca.* 1925, CISFM.
Plutarco Elías Calles: *ca.* 1925, FAPECFT.
Enrique Gorostieta: *ca.* 1926, CRGS, JV.
Saturnino Cedillo: CISFM.
Diego Rivera: AHUNAM.
José Clemente Orozco: CISFM.
Silvestre Revueltas: ENM.
Alfonso Reyes: México, 19 de marzo de 1922, AJV.

LA REVOLUCIÓN SE VUELVE INSTITUCIÓN

Manifestación de apoyo al PNR, CISFM.
Lázaro Cárdenas: FEGC, GG.
Carlos Pellicer: CISFM
Manuel Gómez Morin: CISFM.
Eugenio Garza Sada: *ca.* 1965, CP, GG.
Daniel Cosío Villegas: CEC, FG.
Rufino Tamayo: CISFM.
Vicente Lombardo Toledano: CISFM.
Ignacio Chávez: CISFM.

CACHORROS DE LA REVOLUCIÓN

Av. Juárez desde la Alameda, *ca.* 1940, AGN.
Miguel Alemán Valdés: AFC.
Juan Rulfo: AFC.
Octavio Paz: *ca.* 1956, RS.
Pedro Ramírez Vázquez: CISFM.
Guillermo Haro: CPHP.
Alfonso García Robles: 13 de octubre de 1982, AP.
Gustavo Díaz Ordaz, *ca.* 1965, CGDO.
Bernardo Quintana: 26 de abril de 1978, AP.

LA GENERACIÓN DE MEDIO SIGLO

Villa Olímpica, octubre de 1968, AGN.
Jorge Ibargüengoitia: AP, JM.
Marcos Moshinsky: AHUNAM.
Miguel León Portilla: 6 de noviembre de 1976, AP.
Teodoro González de León: 30 de septiembre de 2007, AP, DC.
Carlos Fuentes: 1 de febrero de 1992, AP.
Jaime Sabines: *ca.* 1970, CINBA.
Ruy Pérez Tamayo: AHUNAM.
René Drucker Colín: 16 de diciembre de 1992, AP, CC.

LA ÉPOCA ACTUAL

Carlos Monsiváis: 6 de noviembre 1976, AP.
Vicente Rojo: AFC.
Eduardo Mata: AP.
Manuel Peimbert, AFC.
René Drucker Colín: Academia Mexicana de la Ciencia.
José Emilio Pacheco: AP, BF.
Mario José Molina: AP, BF.

FONDOS CONSULTADOS

AAS	American Antiquarian Society
AFC	Archivo Fotográfico Clío
AFPM	Archivo Fotográfico del Palacio de Medicina / Patrimonio Universitario, UNAM
AGN	Archivo General de la Nación
AHUNAM	Archivo Histórico de la UNAM
AJV	
AP	Archivo Proceso
APV	Antigua Pinacoteca Virreinal
AR	Art Resource
ARQUEOMEX	Arqueología Mexicana
BARPE	Biblioteca de Arte Ricardo Pérez Escamilla
BDCV	Biblioteca Daniel Cosío Villegas, COLMEX
BM	Biblioteca de México, CONACULTA
BML	Biblioteca Medicea Laurenziana, Florencia, Italia
BNM	Biblioteca Nacional de México
BUEP	Biblioteca de la Universidad del Paso, Texas
CBNM	Colección Banco Nacional de México
CCEM	Colección Carolina Escudero de Mújica
CDI	Colección de los Duques del Infantado, Madrid, España
CEBM	
CEHM	Centro de Estudios de Historia de México / CARSO
CEC	Colección Emma Castro
CERG	Colección Eduardo Rincón Gallardo
CGAM	Colección Galería de Arte Mexicano
CGDO	Colección Guadalupe Díaz Ordaz
CHASCC	Colección Honorable Ayuntamiento Municipal de San Cristóbal de las Casas, Chiapas
CIBNAH	CONACULTA-INAH. Biblioteca Nacional de Antropología e Historia
CINBA	CONACULTA. Instituto Nacional de Bellas Artes
CIMG	CONACULTA-INAH. Museo de Guadalupe, Zacatecas, Zacatecas.
CIMNA	CONACULTA-INAH. Museo Nacional de Antropología
CIMNH	CONACULTA-INAH. Museo Nacional de Historia
CIMNI	CONACULTA-INAH. Museo Nacional de las Intervenciones
CIMRG	CONACULTA-INAH. Museo Regional de Guadalajara
CIMTM	CONACULTA-INAH. Museo del Templo Mayor
CISFM	CONACULTA.INAH. SINAFO.FN. México
CISM	Colección Isabel Sánchez-Mejorada de Bañuelos
CJIC	Colección José Ignacio Conde
CM	Catedral de Morelia, Arquidiócesis de Morelia, Mich.
CMIG	Colección María Isabel Grañén
CP	Colección Particular
CPHP	Colección Paula Haro Poniatowska
CNCA-INAH	Consejo Nacional Para la Cultura y las Artes
CRGS	
CSNH	Colegio de San Nicolás Hidalgo, Morelia, Michoacán.
CSPBA	Courtesy State Preservation Board, Austin, Texas
CVT	Chateaux de Versailles et de Trianon / Réunion des Musées Nationaux, Francia
ENM	Escuela Nacional de Música / UNAM
ESS	Editorial Sexto Sol
FAPECFT	Fideicomiso Archivos Plutarco Elías Calles y Fernando Torreblanca
FEGC	Fondo Editorial Gustavo Casasola
FFCE	Fototeca del Fondo de Cultura Económico
MA	Museo de América, Madrid, España
MBAT	Museo de Bellas Artes de Toluca, Instituto Mexiquense de Cultura.
MJMMP	Museo José María Morelos y Pavón, Instituto de Cultura del Estado de México
MMA	The Metropolitan Museum of Art, New York
MNM	Museo Naval de Madrid
MRSC	Museo de la Revolución Casa de los hermanos Serdán, Secretaría de Cultura del Gobierno del Estado de Puebla
MUNAL	Museo Nacional de Arte / CONACULTA, INBA
NYHS	New York Historical Society
PMO	Palacio Municipal de Oaxaca, Gobierno del Estado de Oaxaca
PNM-INBA	Palacio Nacional de México / CONACULTA, INBA
PNM-SHCP	Palacio Nacional de México / Acervo Patrimonial de la SHCP
PR-OPN	Presidencia de la República, Oficinas de Palacio Nacional
PSP	Parroquia de Santa Prisca, Taxco, Guerrero.
RHBJ	Recinto de Homenaje a Don Benito Juárez, Palacio Nacional. SHCP
RUNAM	Rectoría de la UNAM / Patrimonio Universitario, UNAM
SSG	Sacristía de San Gabriel, Cholula, Puebla
SMB	Staatliche Mussen zu Berlin, Alemania
UG	Universidad de Guanajuato

FOTÓGRAFOS

AB	Armando Betancourt
AC	André Cabrolier
AE	Agustín Estrada
AFR	Archivo Fotográfico Raíces
AM	Alejandro Maas
ARS	Adalberto Ríos Szalay
AS	Alberto Scardigli
ASP	Armando Salas Portugal
BF	Benjamín Flores
BS	Bob Schalkwijk
CC	Carlos Castillo
CORBIS	
DC	Demián Chávez
FG	Fernando González
GG	Gustavo Guevara
JCR	Juan Carlos Reyes
JIGM	Ignacio González Manterola
JH	Javier Hinojosa
JM	Juan Miranda
JPA	Jorge Pablo de Aguinaco
LR	León Rafael
MN	Marcela Noguez Córdoba
MZ	Michel Zabé
MZA	Miguel Zavala
OD	Omar Dumaine
PO	Pablo Oseguera
RD	Rafael Doniz
RS	Ricardo Salazar
ST	Sergio Toledano
VG	Víctor Gayol
WCC	Walter Corona Cruz

VIAJE POR LA HISTORIA DE MÉXICO
recorrido milenario que presenta los sitios, hechos y personajes
que han construido a nuestro país, se terminaron de
imprimir 3'100,000 ejemplares en marzo de 2010,
por encargo de la Comisión Nacional de Libros de Texto Gratuitos,
en los talleres de Litografía Magno Graf, S.A. de C.V.,
con domicilio en Calle E No. 6,
Parque Industrial Puebla 2000, C.P. 72220, Puebla, Pue.,
de un tiraje total de 25'000,000 de ejemplares.
La composición tipográfica se hizo con Adobe Caslon Pro y Trajan Pro.